WILLIAMS-SONOMA

NUEVOS SABORES
PARA
ensaladas

RECETAS
Dina Cheney

FOTOGRAFÍAS
Kate Sears

TRADUCCIÓN
Laura Cordera L.
Concepción O. de Jourdain

degustis

primavera

verano

otoño

invierno

introducción a los nuevos sabores

Una ensalada clásica es un platillo tradicional por una razón: Es una deliciosa composición de sabores y texturas con una apariencia perdurable. Sin embargo, algunas veces, al agregarle acentos de sabores internacionales y productos impecablemente frescos de la localidad, nos proporciona un platillo que sorprende y deleita al paladar en una forma que un platillo clásico no lo hace. Cuando se combinan sazonadores de lugares lejanos con ingredientes cultivados en la localidad los platillos tradicionales como la ensalada César o la panzanella italiana asumen nuevos diseños tentadores.

Las ensaladas son simplemente elementales, por lo que la clave para crear su personalidad es usar frutas y verduras de excelente calidad en su mejor temporada: los jugosos duraznos del verano proporcionan un mejor distintivo a una ensalada que los tristes y secos que llegan desde tierras distantes en el invierno. Aunado a la calidad que se puede saborear, tenemos gran variedad de productos que podemos explorar al hacer nuestras ensaladas: cebollas vidalia, habas verdes, chiles poblanos, peras asiáticas, etc. Con tan amplia variedad de productos orgánicos y de temporada que se pueden obtener actualmente en la localidad, no existe razón alguna para conformarse con productos que no sean frescos, maduros y llenos de sabor.

También tenemos a la mano ingredientes de todo el mundo como la páprika ahumada española, la quinoa peruana y los quesos importados para impartir nuevos sabores atrevidos, suntuosidad y complejidad. Incluya estos elementos en sus ensaladas, de esta manera usted ampliará sus ingredientes base y logrará una alegre variedad de combinaciones de sabor.

En estas páginas encontrará una gran inspiración: Cuarenta y cuatro recetas para seductoras y coloridas ensaladas, inteligentemente creadas y organizadas por temporadas para que sus ingredientes sean más frescos y sabrosos. Se basan, algunas veces en términos generales, en las recetas favoritas de la familia, pero todas ellas tendrán un sabor inspirado en nuevas versiones de las recetas clásicas que complementarán su repertorio para usarse como primer plato, plato principal o guarnición.

la frescura como ingrediente

Las frutas y verduras son los protagonistas de las ensaladas y no las técnicas de cocción. Ya que los ingredientes no se doran, asan o saltean no se pueden disfrazar las lechugas marchitas ni los pepinos de calidad inferior. Por lo tanto, los ingredientes crudos deben estar rebosantes de frescura y ser de la mejor calidad.

local Si usted no puede cultivar sus propias frutas, verduras y hierbas le recomendamos que las compre en el mercado de granjeros, en el puesto de la granja o en la tienda de abarrotes que tenga productos recién cultivados en su localidad. Si estos ingredientes son de la mejor calidad no habrá necesidad de retocarlos y, por consiguiente, ocuparán un lugar natural en las ensaladas. Los productos cultivados en la localidad viajan poco y llegan más frescos al mercado y, por lo tanto, tienen más sabor y un mejor aroma que los productos que vienen de tierras lejanas. Como ventaja adicional, al comprar productos locales usted ayuda a los granjeros de su comunidad, los cuales requieren de su apoyo.

de temporada Al usar frutas y verduras cultivadas en su mejor temporada, usted las disfrutará en su mejor momento. ¿Qué podrá ser más dulce y más perfumado que los chícharos ingleses en sus vainas en la primavera o los jitomates madurados al sol en el verano? Las ensaladas más sabrosas van al ritmo de la naturaleza y presentan los productos que están en su mejor temporada, por lo que si requiere de inspiración busque las frutas y verduras de temporada.

orgánico Los alimentos orgánicos no han sido rociados con pesticidas ni expuestos a preservativos que alargan su duración. Por lo tanto, son naturalmente más frescos y por consiguiente, más deliciosos. Aunque pueden ser ligeramente más caros y su apariencia puede ser menos perfecta que los productos cultivados convencionalmente, los productos orgánicos son mejores, tienen un sabor y un aspecto íntegro.

¡sea atrevido!

Las claves para crear maravillosas ensaladas es usar sazonadores de alto impacto, combinaciones sorprendentes de ingredientes y técnicas que se enfoquen en el sabor. Teniendo esto siempre presente, podemos infundir ensaladas, incluyendo las ensaladas clásicas y las favoritas de todos los tiempos, con nuevos y atrevidos sabores, aromas, colores y texturas.

ingredientes globales
Aunque la salsa Sriracha, las almendras marcona, la salsa picante de pescado y la melaza ácida de granada roja se han convertido recientemente en alimentos básicos de la cocina norteamericana colocándose frecuentemente junto al aceite de oliva extra virgen y el vinagre balsámico en los anaqueles de las despensas. Los ingredientes internacionales de alto impacto como estos hace tiempo eran considerados ingredientes exóticos, pero gracias a las tiendas gourmet, a las especializadas en alimentos, a las tiendas de quesos e incluso a los supermercados bien surtidos actualmente tenemos una despensa mundial a nuestro alcance.

combinaciones inesperadas
Al inventar combinaciones originales se incluyen maravillosos elementos inesperados en las ensaladas. La ensalada de papa adquiere un sabor apimentado y una agradable consistencia crujiente gracias a los dados de rábano; una ensalada de sandía combina el dulce sabor de la fruta con el sabor ácido y salado del queso ricotta salata; una ensalada de zanahoria y uvas pasas se hace más natural y más sustanciosa si se le agrega pastinaca rallada. Al llevar a cabo estas combinaciones se obtienen platillos que cautivan al paladar en cada bocado.

sabrosos métodos de cocimiento
Aunque la mayoría de las ensaladas de este libro presentan frutas y verduras crudas, hay algunas recetas que incorporan métodos sencillos de cocimiento que realzan el sabor. Al tostar las especias se les infunde más carácter y adquieren un olor y sabor más intenso. Al asar frutas y verduras se concentran sus sabores y se caramelizan sus azúcares naturales logrando sabores más intensos. Al asar frutas, verduras, carnes, pescados y mariscos estos se infunden con seductores toques ahumados.

sabores en capas

En una ensalada es importante hacer capas de sabores y texturas de manera inteligente ya que de otra forma la ensalada corre el riesgo de ser demasiado aburrida o innecesariamente caótica. Los componentes deben trabajar unidos y el aderezo debe proporcionar un resplandor que los una sin ser pesado.

sabores complementarios y contrastantes
Muchas platillos presentan elementos que se complementan o que se basan unos en otros, como es el caso del aceite de nuez que aumenta el sabor de las nueces tostadas con las que se cubren rodajas de queso de cabra fresco. De manera similar, las lentejas naturales encuentran una combinación perfecta en el carácter vegetal de la col rizada y el sabor ahumado del tocino. Otras ensaladas presentan sabores contrastantes: Un aderezo ácido de moras logra un equilibrio con la pechuga de pato sellada. Los sabores picante, amargo, salado y dulce incorporados en una ensalada de toronja con inspiración del sureste de Asia proporcionan un carácter de sabor complejo.

textura, temperatura y color
Cuando se integran diferentes texturas, temperaturas y colores en una ensalada se obtiene un efecto espectacular: Hace que nos detengamos y la veamos. En estas páginas encontrará recetas que consideran cuidadosamente estas características. Los mangos amarillos de textura cremosa se mezclan con la crujiente jícama de color claro y se integran con un aderezo de cilantro de un inmaculado color verde. Una ensalada agridulce de edamame y pepinos será incluso más refrescante si se sirve bien fría. Una vinagreta caliente sobre espinaca y un huevo poché es muy reconfortante y sustanciosa.

Considere estas recetas como maneras deliciosas e inspiradas para disfrutar de frutas y verduras de temporada, formas para capturar su valor nutritivo y llevarlas a su mesa. Con los ingredientes globales, combinaciones inesperadas y métodos de cocina que resaltan el sabor, estas recetas transforman las ensaladas cotidianas en platillos realmente excepcionales.

primavera

espárragos con limón y láminas de queso parmigiano-reggiano

espárragos delgados,
1½ kg (3½ lb)

limón amarillo, 1 grande

sal de mar y pimienta
recién molida

aceite de oliva extra virgen
afrutado, 2 cucharadas

queso parmigiano-
reggiano, 140 g (⅓ libra)

RINDE 6 PORCIONES

Coloque una olla grande con dos terceras partes de agua sobre fuego alto y lleve a ebullición. Llene un tazón grande con dos terceras partes de agua con hielo.

Retire la base dura de cada espárrago y corte los espárragos en trozos de 3.8 cm (1½ in) de largo. Prepare una cucharada de ralladura fina del limón y exprima una cucharada de su jugo.

Agregue una cucharada de sal y los trozos de espárragos a la olla con agua hirviendo y cocine alrededor de 2½ minutos, hasta que los espárragos estén suaves pero crujientes y de color verde brillante. Escurra los espárragos y páselos inmediatamente al agua con hielo. Deje reposar alrededor de 2 minutos, hasta que estén fríos y escurra una vez más. Pase los trozos de espárrago a un platón de servir.

En un tazón pequeño de material no reactivo bata con un batidor globo la ralladura con el jugo de limón, ¼ cucharadita de sal y ¼ cucharadita de pimienta. Integre lentamente el aceite de oliva batiendo hasta incorporar por completo para hacer el aderezo. Pruebe y rectifique la sazón. Rocíe el aderezo uniformemente sobre los espárragos. Usando un pelador de verduras, ralle láminas de queso sobre los espárragos y sirva de inmediato.

En esta sencilla entrada el salado queso parmigiano-reggiano con sabor a nuez proporciona un conveniente y atrevido contraste para la acidez natural del limón y la textura herbal de los espárragos. El aceite de oliva extra virgen, de preferencia uno afrutado, combina agradablemente todos los ingredientes.

ensalada de berro y pato con aderezo de fresa al jengibre

Esta ensalada de primavera presenta la combinación clásica de fruta con pato de piel crujiente. El jengibre cristalizado proporciona dulzura al igual que un sabor picante y ligeramente cítrico a un aderezo de fresa que compensa el fuerte sabor del pato. El berro apimentado complementa el agradable sabor a especias del jengibre.

Precaliente el horno a 200°C (400°F). Usando un cuchillo mondador, limpie las fresas (página 145). Coloque 4 ó 5 fresas en la licuadora. Corte las demás fresas longitudinalmente en cuartos y reserve. Agregue a las fresas enteras en la licuadora el jengibre, jugo de limón, azúcar y una pizca de sal y otra de pimienta y procese hasta obtener una mezcla tersa. Vierta a través de un colador de malla fina colocado sobre un tazón pequeño. Integre lentamente una cucharada del aceite de nuez, batiendo con un batidor globo hasta incorporar por completo para hacer el aderezo. Pruebe y rectifique la sazón. Reserve.

Usando un cuchillo filoso y delgado, marque la piel de cada mitad de pechuga haciendo un diseño a cuadros de 1 cm (½ in), teniendo cuidado de no cortar la carne. Sazone cada pechuga de pato por ambos lados con sal y pimienta.

Caliente una sartén grande y gruesa que se pueda meter al horno sobre fuego medio-bajo durante 2 minutos. Agregue las pechugas de pato, con la piel hacia abajo, y cocine alrededor de 5 minutos, hasta que la piel esté crujiente y ligeramente dorada. Retire el pato de la sartén, reserve 2 cucharadas de la grasa del pato y deseche el resto. Vuelva a poner el pato en la sartén, colocando el lado de la piel hacia arriba. Coloque la sartén en el horno y cocine entre 10 y 12 minutos, hasta que un termómetro de lectura instantánea insertado en el centro de cada pechuga registre los 55°C (130°F) para término medio rojo, o hasta obtener el término deseado. Pase el pato a una tabla de picar, cubra holgadamente con papel aluminio y deje reposar durante 5 minutos.

Mientras tanto, en un tazón pequeño mezcle las nueces con una pizca de sal. En un tazón grande mezcle el berro y las fresas partidas en cuartos, rocíe con las 3 cucharadas restantes de aceite de nuez y sazone con ¼ cucharadita de sal y la misma cantidad de pimienta. Mezcle hasta integrar por completo. Divida las hortalizas y las fresas uniformemente entre platos individuales.

Rebane finamente las pechugas de pato en diagonal. Coloque una cantidad proporcional de rebanadas de pato sobre las hortalizas puestas en cada plato, acomodándolas en abanico. Rocíe cada porción con el aderezo, dividiéndolo uniformemente y agregue las nueces. Sirva de inmediato.

fresas grandes, 500 g (2 pt/1 lb) en total

jengibre cristalizado, 1 ½ cucharadita, finamente picado

jugo de limón fresco, 1 ½ cucharadita

azúcar, 1 cucharadita

sal de mar y pimienta recién molida

aceite de nuez, 4 cucharadas

pechuga de pato muscovy sin hueso, 2 mitades (de aproximadamente 340 g/ ¾ lb cada una)

nueces, ¾ taza, tostadas (página 145) y toscamente picadas

berro, 2 manojos pequeños, sin tallos

RINDE 4 PORCIONES

Los granos de pimienta negra toscamente triturados proporcionan un toque espectacular y cálido a los sedosos filetes de atún sellados rápidamente como si fueran filetes de res. La arúgula reproduce el sabor a especias de la pimienta negra mientras que los grupos de rebanadas de hinojo parecido al anís proporcionan un sabor dulce que contrasta además de una textura suavemente crujiente.

ensalada de arúgula e hinojo con atún incrustado con pimienta negra

vinagre balsámico, ½ taza

chalote, 1 grande, finamente picado

mostaza dijon, 2 cucharaditas

azúcar, ½ cucharadita

sal de mar

aceite de oliva extra virgen, 10 cucharadas

cebollas vidalia, 2 pequeñas, finamente rebanadas

granos de pimienta negra, 2 cucharadas

filetes de atún, 6 (1 kg/2 lb en total), cada uno de aproximadamente 2 ½ cm (1 in)

hojas de arúgula, 8 tazas, sin tallos

bulbo de hinojo, 1 grande, descorazonado y finamente rebanado

cebollitas de cambray, 2, sus tallos verdes finamente rebanados

RINDE 6 PORCIONES

En un tazón pequeño de material no reactivo bata con un batidor globo el vinagre con el chalote, mostaza, azúcar y ¼ cucharadita de sal, hasta que el azúcar se disuelva. Integre lentamente 7 cucharadas del aceite de oliva, batiendo hasta incorporar por completo para hacer una vinagreta. Pruebe y rectifique la sazón. Reserve.

En una sartén antiadherente grande sobre fuego medio, caliente 2 cucharadas del aceite de oliva. Agregue las cebollas rebanadas y una cucharadita de sal y saltee de 10 a 12 minutos, hasta que estén suaves y doradas. Pase a un plato y reserve. Limpie la sartén y reserve.

Coloque los granos de pimienta en una bolsa de plástico con cierre hermético y cierre. Usando un mazo o la base de una sartén gruesa triture toscamente los granos de pimienta. Sazone cada filete de atún por ambos lados con un poco de sal. Posteriormente, dividiéndolos uniformemente, presione los granos de pimienta triturados sobre uno de los lados de cada filete de atún.

Vuelva a colocar la sartén sobre fuego medio-alto y agregue la cucharada restante de aceite de oliva. Cuando el aceite esté caliente pero no humee agregue el atún, con el lado apimentado hacia abajo. Selle el atún alrededor de 2 minutos sobre cada lado, volteándolo una sola vez, hasta que esté ligeramente dorado en la parte exterior y aún de color rosa oscuro o crudo en el centro, o hasta lograr el término deseado. Pase a un platón, cubra holgadamente con papel aluminio y deje reposar durante 5 minutos.

En un tazón grande mezcle la arúgula con el hinojo y ¼ cucharadita de sal. Bata la vinagreta para integrar, rocíe aproximadamente la mitad de vinagreta sobre la arúgula y mezcle hasta integrar por completo. Pruebe y rectifique la sazón. Divida la mezcla de arúgula aderezada uniformemente entre platos individuales. Usando una cuchara coloque las cebollas salteadas sobre la arúgula, dividiéndolas uniformemente. Rebane finamente cada filete de atún y acomódelo sobre las cebollas. Rocíe cada ensalada con un poco de la vinagreta restante y espolvoree con los tallos de las cebollitas. Sirva de inmediato.

Detrás de la audacia de los granos de pimienta negra se encuentran matices de vino, tabaco y fruta. En esta receta las cortezas de granos de pimienta triturados proporcionan dimensión a los filetes de atún de sabor suave. La amarga arúgula, el crujiente hinojo y las cebollas dulces caramelizadas junto con una vinagreta sazonada forman los elementos secundarios en esta ensalada de sabores y texturas sumamente contrastantes.

ensalada de jícama y mango con aderezo de cilantro

En un tazón pequeño remoje la cebolla en agua fría durante 15 minutos.

En un procesador de alimentos mezcle el cilantro con el aceite de oliva, jugo de limón, jugo de naranja, miel de abeja, ¼ cucharadita de chili en polvo, ½ cucharadita rasa de sal y un poco de pimienta molida y procese alrededor de 15 segundos, hasta obtener un aderezo terso. Pruebe y rectifique la sazón.

Retire la piel de los mangos y corte la pulpa en dados de 1 cm (½ in) (página 145). Deberá tener aproximadamente 6 tazas de dados de mango. Retire la piel de la jícama y corte la pulpa en dados de 1 cm (½ in). Deberá tener aproximadamente 4 tazas de dados de jícama.

Escurra la cebolla en un colador de malla fina y pase a un tazón. Agregue el mango, la jícama, ½ cucharadita de sal y ¼ cucharadita de pimienta. Rocíe con el aderezo y mezcle hasta integrar por completo. Pruebe y rectifique la sazón.

Divida la ensalada uniformemente en platos individuales fríos y espolvoree ligeramente cada porción con chili en polvo. Sirva de inmediato.

cebolla morada, ½ taza, finamente picada

cilantro fresco, 6 cucharadas, picado

aceite de oliva extra virgen, ¼ taza más 2 cucharaditas

jugo de limón fresco, 3 cucharadas

jugo de naranja fresco, 3 cucharadas

miel de abeja, 4 cucharaditas

chili en polvo, ¼ cucharadita, más el necesario para adornar

sal de mar y pimienta recién molida

mangos, 5 (aproximadamente 1 ½ kg/3 ½ lb en total)

jícama, 1 pequeña (aproximadamente ½ kg/ 1 lb)

RINDE DE 6 A 8 PORCIONES

Las rodajas de queso de cabra cubiertas de nueces obtienen un complemento amantequillado para su textura cremosa. Al hornearlas brevemente, el calor intensifica el sabor afín a cebolla de la vinagreta salpicada con chalotes y el aroma de hierbas mezclado con las suaves hortalizas.

ensalada de hierbas de primavera con queso de cabra incrustado con nueces

vinagre de champaña, 6 cucharadas

chalotes, 2, finamente picados

miel de abeja, 1 cucharada

sal de mar y pimienta recién molida

aceite de nuez, ½ taza más 2 cucharadas

nueces, 3 tazas, tostadas (pag. 145) y finamente picadas

queso de cabra fresco, 2 barras (de 255 g/9 oz cada una)

aceite de oliva extra virgen, ¼ taza

hierbas de canónigo, arúgula miniatura, espinaca miniatura o una combinación de las mismas, 7 tazas

eneldo fresco, 1 taza, toscamente picado

hojas de perejil liso fresco, 1 taza, toscamente picado

cebollín fresco, 1 taza, toscamente picado

RINDE 6 PORCIONES

Precaliente el horno a 175°C (350°F).

En un tazón pequeño de material no reactivo bata con un batidor globo el vinagre con los chalotes, miel de abeja, 2 pizcas de sal y un poco de pimienta. Integre lentamente el aceite de nuez batiendo hasta integrar por completo para hacer una vinagreta. Pruebe y rectifique la sazón.

En un tazón mezcle las nueces picadas con ¼ cucharadita de sal. Sazone cada barra de queso de cabra con sal y pimienta. Usando un cuchillo delgado corte cada barra transversalmente en 6 rebanadas iguales. Trabajando con una rebanada a la vez, cubra las rebanadas por todos lados con las nueces, presionando suavemente para que se adhieran. Pase las rodajas de queso de cabra cubiertas a una charola para hornear con borde y rocíelas ligeramente con el aceite de oliva. Hornee alrededor de 5 minutos, hasta que estén calientes.

Mientras tanto, en un tazón grande mezcle las hierbas de canónigo con el eneldo, perejil, cebollín, 2 pizcas de sal y un poco de pimienta. Bata la vinagreta para reintegrar, rocíe aproximadamente una tercera parte de la vinagreta sobre las hortalizas y mezcle hasta incorporar por completo. Pruebe y rectifique la sazón. Divida las hortalizas aderezadas uniformemente entre platos individuales. Cubra cada porción con 2 rodajas de queso de cabra y rocíe 2 cucharaditas de vinagreta sobre el queso de cada porción (reserve la vinagreta restante para otro uso). Sirva de inmediato.

El aceite de nuez proporciona un sabor anuezado a esta ensalada, un sabor que redunda con las nueces picadas que cubren el queso de cabra. La miel de abeja tempera la acidez del vinagre de champaña en el aderezo mientras que un trío de hierbas aromáticas proporciona un sabor y color vibrante.

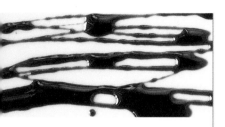

alcachofas miniatura con aceite de ajo, miel de balsámico y piñones

En un tazón pequeño mezcle las rebanadas de ajo con el aceite de oliva. Tape y deje reposar a temperatura ambiente durante una hora.

Llene un tazón grande con dos terceras partes de agua fría. Parta los limones a la mitad. Exprima el jugo de medio limón en el agua y deje caer el medio limón exprimido en el agua. Exprima las mitades de limón restantes hasta obtener ¼ taza, reserve el jugo y deje caer las mitades de limón exprimidas en el agua. Trabajando con una alcachofa a la vez, retire las hojas exteriores de color verde oscuro hasta que llegue a las hojas claras del centro. Corte el tallo hasta dejarlo al ras de la base y corte 1 cm (½ in) de la parte superior. Corte la alcachofa longitudinalmente a la mitad e inmediatamente coloque las mitades en el agua con limón. Repita la operación con las alcachofas restantes.

En una olla grande adaptada con una canastilla para cocinar al vapor hierva entre 2 ½ y 5 cm (1-2 in) de agua sobre fuego alto. Escurra las alcachofas y acomódelas en una sola capa en la canastilla. Tape, reduzca el fuego a medio y cocine las alcachofas al vapor de 12 a 14 minutos, hasta que se sientan suaves al picarlas con un tenedor.

Mientras tanto, vierta la mezcla de ajo con aceite a través de un colador colocado sobre un tazón pequeño. En otro tazón pequeño de material no reactivo bata con un batidor globo el jugo de limón reservado con el perejil, azúcar, ¼ cucharadita de sal y un poco de pimienta, hasta que el azúcar se disuelva. Integre lentamente el aceite de ajo batiendo hasta incorporar por completo para hacer una vinagreta. Pruebe y rectifique la sazón.

Cuando las alcachofas estén listas, páselas a un tazón. Bata el aderezo para reintegrar e inmediatamente agréguelo junto con la miel de balsámico y una pizca grande de sal a las alcachofas calientes. Mezcle hasta integrar por completo. Pase las alcachofas aderezadas a un platón o tazón de servicio. En un tazón pequeño mezcle los piñones con ¼ cucharadita rasa de sal y espolvoree sobre las alcachofas. Cubra con el queso, si lo usa, y sirva de inmediato.

ajo, 3 dientes grandes, finamente rebanados

aceite de oliva extra virgen, ¼ taza más 3 cucharadas

limones amarillos, 2 grandes

alcachofas miniatura, 2 kg (4 lb) (aproximadamente 32)

perejil liso o menta fresca, 1 cucharada, toscamente picado

azúcar, 1 cucharadita

sal de mar y pimienta recién molida

miel de balsámico (página 144), 2 ½ cucharadas

piñones, ½ taza, tostados (página 45)

queso parmesano parmigiano-reggiano, 50 g (2 oz), en láminas (opcional)

RINDE DE 4 A 6 PORCIONES

cuscús israelita con habas verdes y aceitunas

caldo de pollo, 3 tazas

jugo de limón amarillo fresco, ½ taza

sal de mar

aceite de oliva extra virgen, 4 cucharadas

cuscús israelita, 2 ⅓ tazas (340 g/ ¾ lb)

habas verdes en su vaina, 1 kg (2 ½ lb), desvainadas

zanahorias, 4, sin piel y cortadas en dados pequeños

perejil liso fresco, ⅔ taza, toscamente picado

aceitunas negras curadas en aceite, 24, sin hueso y toscamente picadas

queso feta, 140 g (5 oz), desmoronado

RINDE 6 PORCIONES

En una olla pequeña de material no reactivo mezcle el caldo, jugo de limón y ½ cucharadita de sal y lleve a ebullición sobre fuego alto. Mientras tanto, en una olla sobre fuego medio, caliente 2 cucharadas del aceite de oliva. Agregue el cuscús y cocine, moviendo ocasionalmente, alrededor de 4 minutos, hasta que esté de color dorado claro. Vierta la mezcla de caldo caliente sobre el cuscús, eleve el fuego a alto y lleve a ebullición. Tape inmediatamente, reduzca el fuego a medio-bajo y hierva lentamente alrededor de 15 minutos, hasta que todo el líquido se haya absorbido. Rocíe las 2 cucharadas restantes de aceite de oliva sobre el cuscús, mezcle para integrar y pase a un tazón grande. Deje enfriar a temperatura ambiente.

Mientras el cuscús se enfría, llene la olla que usó para cocinar el cuscús hasta tres cuartas partes con agua y lleve a ebullición sobre fuego alto. Llene un tazón con dos terceras partes de agua con hielo. Agregue una cucharada de sal y las habas al agua hirviendo y cocine alrededor de 2 minutos, hasta que estén suaves. Use una cuchara ranurada para retirar las habas de la olla y páselas inmediatamente al agua con hielo. Deje reposar hasta que se enfríen, retire las habas con la cuchara ranurada. Agregue las zanahorias al agua hirviendo con sal y cocine alrededor e 2 minutos, hasta que estén suaves pero crujientes. Escurra en un colador e inmediatamente pase las zanahorias al agua con hielo. Deje reposar hasta que se enfríen y escurra una vez más.

Retire la piel dura del exterior de cada haba pellizcando la punta opuesta que unía el haba a la vaina. Deberá tener aproximadamente 1 ¼ taza de habas sin piel.

Agregue las habas, zanahorias, perejil, aceitunas y queso al tazón con el cuscús y mezcle hasta integrar por completo. Pruebe y rectifique la sazón. Pase a un tazón de servicio y sirva de inmediato.

El fuerte y salado queso feta agrega impacto a esta ensalada de sabores suaves. Se contrapone a la consistencia cremosa de las habas verdes, el dulce sabor de las zanahorias y el sabor a trigo del cuscús israelita de grano largo.

Al asar fresas se logra un efecto sorprendente: se tornan suculentas y adquieren un sabor más intenso. El dulce sabor de las fresas se equilibra con hilos de condimentado queso pecorino en una nueva versión para la clásica ensalada de espinaca con fresas.

ensalada de espinaca miniatura con fresas asadas

fresas grandes, 450 g (2 pt/3 lb en total)

aceite de oliva extra virgen, 8 cucharadas

azúcar, 1 cucharada más 2 cucharaditas

sal de mar y pimienta recién molida

vinagre de vino tinto, 6 cucharadas

jugo de naranja fresco, ¼ taza

hojas de estragón fresco, 4 cucharaditas, finamente picadas

almendras enteras blanqueadas, 1 taza, tostadas (página 145)

espinaca miniatura, 9 tazas

queso pecorino romano, 140 g (5 oz), desmenuzado

RINDE 6 PORCIONES

Precaliente el horno a 200°C (400°F).

Usando un cuchillo mondador, limpie las fresas (página 145) y corte longitudinalmente a la mitad. Extienda las fresas sobre una charola para hornear con borde. Rocíe con 2 cucharadas del aceite de oliva y espolvoree con las 2 cucharaditas de azúcar, ¼ cucharadita de sal y un poco de pimienta. Mezcle hasta cubrir las fresas uniformemente y extiéndalas una vez más. Ase alrededor de 10 minutos, hasta que estén suaves. Deje enfriar a temperatura ambiente.

En un tazón pequeño de material no reactivo bata el vinagre con el jugo de naranja, estragón, la cucharada de azúcar, ¾ cucharadita de sal y un poco de pimienta hasta que el azúcar se disuelva. Integre lentamente 6 cucharadas restantes de aceite de oliva, batiendo con un batidor globo hasta incorporar por completo para hacer una vinagreta. Pruebe y rectifique la sazón.

En un tazón pequeño mezcle las almendras con ¼ cucharadita de sal. En un tazón grande mezcle la espinaca con ¼ cucharadita de sal y un poco de pimienta. Bata la vinagreta para reintegrar, rocíe aproximadamente una tercera parte de la vinagreta sobre la espinaca y mezcle hasta incorporar por completo (reserve la vinagreta restante para otro uso). Pruebe y rectifique la sazón. Divida la espinaca aderezada uniformemente entre platos individuales, cubra cada porción con una cantidad proporcional de las fresas asadas y espolvoree con las almendras y el queso. Sirva de inmediato.

El sabor de esta ensalada deslumbra con la radiante acidez del vinagre de vino tinto, moderando su acidez con el dulce sabor del jugo de naranja fresco. Al asar las fresas con un poco de azúcar se intensifica su sabor afrutado y se suaviza su textura creando un agradable contrapunto al sabor salado del queso y a la textura crujiente de las almendras tostadas.

ensalada de edamame marinado, pepino y pimiento rojo

Las semillas de ajonjolí tostado y el aceite de ajonjolí proporcionan un natural sabor a nuez y un leve toque amargo a esta colorida ensalada. En ella, un aderezo agridulce y salado inspirado en las verduras en salmuera estilo asiático se atenúa con el suave sabor del edamame, la frescura de los pepinos y la agradable textura crujiente de los pimientos rojos.

En un tazón de material no reactivo bata con un batidor globo el vinagre con el tamari, azúcar, 1 ½ cucharadita de sal y un poco de pimienta, hasta que se disuelva el azúcar. Integre lentamente el aceite de canola y el de ajonjolí, hasta incorporar por completo para hacer un aderezo. Pruebe y rectifique la sazón.

Seque el edamame suavemente con toallas de papel y coloque en un tazón grande de material no reactivo. Corte los pepinos en dados de 1 cm (½ in) y coloque en el tazón con el edamame. Retire las semillas de los pimientos, retire las venas, corte la pulpa en dados de 1 cm (½ in) y coloque en el tazón.

Bata el aderezo para reintegrar y rocíe sobre la mezcla de verduras, espolvoree con las semillas de ajonjolí y mezcle hasta integrar por completo. Tape y refrigere por lo menos durante una hora o hasta por todo un día para integrar los sabores.

Cuando esté listo para servir la ensalada, escúrrala y deseche el aderezo. Pase a un tazón de servicio y sirva de inmediato.

vinagre de arroz, ½ taza

tamari reducido en sodio, 4 cucharaditas

azúcar, 5 cucharadas

sal de mar y pimienta recién molida

aceite de canola, ⅓ taza

aceite de ajonjolí, 2 cucharaditas

edamame desvainado congelado, 1 bolsa, 450 g (1 lb), descongelado

pepino inglés, 1 ½

pimientos rojos, 2

semillas de ajonjolí, 3 cucharadas, tostadas (página 145)

RINDE 6 PORCIONES

ensalada de papas cambray y rábano con vinagreta de mostaza y eneldo

vinagre de sidra, 6 cucharadas

cornichons, 7, finamente picados

eneldo fresco, ¼ taza, finamente picado, más 2 cucharadas toscamente picado

chalote, 1, finamente picado

mostaza dijon, 3 cucharadas

azúcar, 1 cucharada

sal de mar

aceite de oliva extra virgen, ½ taza más 1 cucharada

papas cambray grandes, todas aproximadamente del mismo tamaño, 1 kg (2 lb)

apio, 4 tallos, cortado en dados pequeños

rábanos, 8 grandes, limpios y cortados en dados pequeños

crème fraîche, ⅓ taza

RINDE 6 PORCIONES

En un tazón pequeño de material no reactivo mezcle el vinagre con los cornichons, el ¼ taza de eneldo finamente picado, el chalote, mostaza, azúcar y ½ cucharadita de sal, hasta que el azúcar se disuelva. Integre lentamente el aceite de oliva batiendo con un batidor globo hasta incorporar por completo para hacer una vinagreta. Pruebe y rectifique la sazón.

Llene un tazón con dos terceras partes de agua con hielo. En una olla grande mezcle las papas con una cucharada de sal y agua hasta cubrir en 2 ½ cm (1 in) y lleve a ebullición sobre fuego alto. Reduzca el fuego a medio, tape parcialmente y hierva a fuego lento de 7 a 9 minutos, hasta que las papas se sientan suaves cuando se les pique con la punta de un cuchillo mondador.

Escurra las papas en un colador y pase inmediatamente al agua con hielo. Deje reposar hasta que estén frías y escurra una vez más. Corte cada papa en cuartos y pase a un tazón grande.

Bata la vinagreta para reintegrar y rocíela sobre las papas. Agregue el apio y los rábanos y mezcle suavemente. Pruebe y rectifique la sazón. Pase la ensalada a un tazón de servicio y espolvoree con las 2 cucharadas de eneldo picado. Sirva de inmediato acompañando a la mesa con la crème fraîche.

Los cornichons son ácidos, salados y llenos de sabor a vinagre. Junto con la mostaza intensifican el sabor a las suaves papas y a los crujientes rábanos y apio en esta sencilla ensalada. Una cucharada de crème fraîche sobre las porciones individuales modera la acidez de la ensalada y proporciona un toque vistoso.

Las rebanadas de piña tropical se suavizan y caramelizan sobre el asador encendido. Su dulce sabor y deslumbrante acidez son contrapartes de la rica y carnosa pierna de cordero sazonada con una profusión de ingredientes amargos, dulces, picantes, salados y sumamente aromáticos, una deliciosa combinación de vibrantes sabores en capas.

ensalada de cordero asado y piña con lemongrass y menta

pierna de cordero sin hueso y cortada en mariposa, 1 kg (2 ¼ lb), limpia

pasta de lemongrass y menta (página 144)

jugo de limón fresco, ¼ taza

vinagre de arroz, 1 cucharada

salsa asiática de pescado, 1 ½ cucharadita

chile jalapeño, ½ cucharadita, finamente picado

azúcar morena clara, 3 cucharadas compactas

menta fresca, 3 cucharadas, finamente picada

sal de mar y pimienta recién molida

aceite de canola

piña, 1

cacahuates, 1 taza, tostados (página 145) y picados

lechuga de hoja roja, 2 cabezas, las hojas troceadas en trozos del tamaño de un bocado

cebollitas de cambray, 8, finamente rebanadas

RINDE 6 PORCIONES

Coloque la pierna de cordero en un refractario grande y frote con la pasta de hierbas sobre ambos lados de la carne. Tape y refrigere por lo menos durante 6 horas o de preferencia durante toda la noche.

En un tazón pequeño de material no reactivo bata con un batidor globo el jugo de limón con el vinagre, salsa de pescado, chile, azúcar, menta, ½ cucharadita de sal y un poco de pimienta, hasta que el azúcar se disuelva. Integre lentamente 5 cucharadas de aceite de canola, batiendo hasta integrar por completo para hacer un aderezo. Pruebe y rectifique la sazón. Reserve.

Aproximadamente una hora antes de servir, retire el cordero del refrigerador. Usando un cuchillo para chef retire la cáscara de la piña (página 145) y corte transversalmente en rodajas de aproximadamente 50 cm (¼ in) de grueso. Barnice la piña por ambos lados con un poco de aceite de canola y sazone ligeramente con sal. Prepare un asador de carbón o gas para asar sobre fuego directo a fuego medio-alto (página 147).

Ase la piña entre 5 y 7 minutos en total, volteándola una sola vez, hasta que se le marquen la rejilla por ambos lados. Pase a una tabla de picar. Raspe y retire la pasta del cordero y sazone ligeramente ambos lados de la carne con sal. Ase alrededor de 10 minutos en total, volteando una sola vez, hasta que un termómetro de lectura instantánea insertado en la parte más gruesa de la carne registre 55°C (130°F) para término medio rojo, o hasta obtener el término deseado. Pase a una tabla de picar y cubra holgadamente con papel aluminio. Corte cada rodaja de piña en cuartos y retire el corazón duro de cada trozo.

En un tazón pequeño mezcle los cacahuates con ½ cucharadita de sal. En un tazón grande mezcle la lechuga con ¼ cucharadita de sal y un poco de pimienta. Bata el aderezo para reintegrar, rocíe aproximadamente la mitad del aderezo sobre la lechuga y mezcle hasta incorporar por completo. Pruebe y rectifique la sazón. Divida la lechuga aderezada uniformemente entre platos individuales.

Rebane finamente el cordero. Acomode el cordero y la piña sobre las ensaladas, dividiéndolos uniformemente y rocíe cada porción con un poco del aderezo restante. Espolvoree con los cacahuates y las cebollitas de cambray y sirva de inmediato.

El aroma cítrico y el sabor ligero y fresco del lemongrass permean este platillo, cuya inspiración tai se presenta por la adición de la menta, jugo de limón y salsa picante de pescado. Unos cuantos minutos sobre el asador caliente proporcionan al cordero y a la piña un sabor ahumado que aporta una maravillosa complejidad a la ensalada.

verano

ensalada estilo césar con chiles poblanos y crutones de cornmeal

mantequilla sin sal, 2 cucharadas, a temperatura ambiente

caldo de pollo, 2 tazas

sal de mar y pimienta recién molida

cornmeal amarillo o polenta, 1 taza

aceite de oliva extra virgen, 2 cucharadas

chili en polvo, ½ cucharadita

chiles poblanos, 2

mayonesa, ½ cucharada

jugo de limón fresco, 1 cucharada

ajo, 1 diente grande, finamente picado

miel de abeja, 1 ½ cucharadita

mostaza dijon, ½ cucharadita

lechuga orejona, 2 cabezas, hojas partidas en trozos del tamaño de un bocado

queso jack seco o parmesano, 100 g (¼ lb)

RINDE DE 4 A 6 PORCIONES

Cubra la parte interior de un refractario cuadrado de 20 cm (8 in) con una cucharada de la mantequilla. En una olla sobre fuego medio-alto hierva el caldo, ½ cucharadita de sal y la cucharada restante de mantequilla. Reduzca el fuego a medio. Agregue gradualmente el cornmeal en hilo lento y continuo mientras bate constantemente. Continúe cocinando y batiendo alrededor de 6 minutos, hasta que la mezcla se haya espesado y se separe de los lados de la olla. Inmediatamente vierta la mezcla en el refractario preparado, extendiéndola uniformemente. Tape y refrigere alrededor de una hora, hasta que esté firme.

Precaliente el horno a 170°C (350°F). Corte la mezcla de cornmeal fría en crutones de 4 cm (1 ½ in). Pase los crutones a una charola para hornear con borde, rocíe con el aceite de oliva, espolvoree con el chili en polvo y ¼ cucharadita de sal y mezcle para cubrir. Hornee alrededor de 30 minutos, agitando la charola cada 10 minutos, hasta que los crutones estén dorados y aromáticos. Deje enfriar a temperatura ambiente.

Precaliente el asador de su horno. Coloque los chiles sobre una charola para hornear con borde, coloque debajo del asador y ase alrededor de 10 minutos, volteando ocasionalmente, hasta que las pieles se quemen. Pase a un tazón, tape y cocine al vapor durante 15 minutos. Retire y deseche las pieles, tallos y semillas y corte la pulpa en dados pequeños.

En un procesador de alimentos mezcle la mayonesa con 2 cucharadas de los dados de chile, el jugo de limón, ajo, miel de abeja, mostaza, ½ cucharadita de sal y un poco de pimienta y procese alrededor de 20 segundos, hasta que se forme un aderezo terso. Pruebe y rectifique la sazón.

En un tazón grande mezcle la lechuga con ¼ cucharadita de sal. Rocíe con aproximadamente dos terceras partes del aderezo y mezcle hasta incorporar por completo (reserve el aderezo restante para otro uso). Divida la lechuga aderezada uniformemente entre platos individuales. Cubra cada porción con los crutones de cornmeal y un poco de los dados restantes de chile. Usando un pelador de verduras, ralle láminas de queso sobre las ensaladas, dividiéndolos uniformemente. Sirva de inmediato.

El fuerte sabor salado y añejo del queso Jack seco agrega personalidad a esta versión de ensalada César del suroeste de los Estados Unidos. Los chiles poblanos asados le proporcionan un sabor natural y herbal además de un toque picante mientras que los crutones sazonados con chile poblano ofrecen sustancia así como un toque de maíz tostado.

quinoa con jitomate, pepino y hierbas frescas

El trío formado por las cebollitas de cambray, perejil y menta proporciona un abundante color verde y un atrevido sabor herbal a esta ensalada inspirada en el tradicional tabule del Medio Oriente. La quinoa es una base natural para las verduras de verano y el aderezo hecho con aceite de oliva afrutado y melaza agridulce de granada roja.

En una olla mezcle la quinoa con el caldo y ¼ cucharadita de sal y lleve a ebullición sobre fuego alto. Tape, reduzca el fuego a medio-bajo y hierva alrededor de 12 minutos, hasta que todo el líquido se haya absorbido y la quinoa esté suave. Pase la quinoa inmediatamente a un colador de malla fina y enjuague con un hilo fino de agua fría alrededor de 1 ó 2 minutos, asegurándose de que el agua y la quinoa no se desborden, hasta que esté fría. Escurra perfectamente y pase a un tazón.

Prepare ralladura fina de un limón, parta ambos limones y exprima las mitades de limón para obtener 5 cucharadas de jugo. En un tazón pequeño de material no reactivo bata con un batidor globo el jugo de limón con la ralladura, ajo, la melaza de granada roja, azúcar, ½ cucharadita de sal y un poco de pimienta, hasta que se disuelva el azúcar. Integre lentamente el aceite de oliva, batiendo hasta integrar por completo para hacer un aderezo. Pruebe y rectifique la sazón. Agregue aproximadamente tres cuartas partes del aderezo a la quinoa y mezcle hasta integrar por completo.

Descorazone los jitomates y pártalos a la mitad. Exprima suavemente cada mitad de jitomate para retirar las semillas y corte la pulpa de jitomate en dados de 1 cm (½ in). En un tazón pequeño mezcle los jitomates con ¼ cucharadita de sal y deje reposar alrededor de 5 minutos, hasta que suelten su jugo. Vierta en un colador colocado sobre otro tazón. Corte el pepino en dados de 1 cm (½ in) y colóquelos en el tazón que usó para sazonar los jitomates. Incorpore las cebollitas y el aderezo restante con el pepino, mezcle hasta integrar por completo, vierta la mezcla de pepino sobre los jitomates colocados en el colador para escurrir. Agregue la mezcla de jitomate y pepino escurrida a la quinoa e integre el perejil y la menta. Pruebe y rectifique la sazón. Pase a un tazón de servicio y sirva de inmediato.

quinoa, 1 ½ taza, enjuagada y escurrida

caldo de pollo o vegetal, 3 tazas

sal de mar y pimienta recién molida

limones amarillos, 2 grandes

ajo, 2 dientes, finamente picados

melaza de granada roja, 1 cucharada

azúcar, 1 cucharadita

aceite de oliva extra virgen, ½ taza

jitomates, 2 grandes

pepino inglés, ½ grande

cebollitas de cambray, 4, sus partes blancas y verdes, toscamente picadas

perejil liso fresco, ¼ taza, toscamente picado

menta o hierbabuena fresca, ¼ taza, toscamente picada

RINDE DE 4 A 6 PORCIONES

En una refrescante ensalada de verano, los listones de apio forman un grupo con cuadros de
sandía, trozos de queso ricotta salata y hojas de menta. Un platillo original, seguramente,
pero con una deliciosa mezcla de sabores herbales dulces, salados y frescos.

sandía y láminas de apio con ricotta salata

apio, 6 tallos

sandía sin semilla, 1 pequeña (aproximadamente 1 ½ kg/3 ¼ lb)

queso ricotta salata, entre 140 g y 170 g (5-6 oz), toscamente desmoronado

hojas de menta fresca, 1 taza, troceada

aceite de oliva extra virgen, ¼ taza

jugo de limón fresco, 1 cucharada

sal de mar y pimienta recién molida

RINDE DE 4 A 6 PORCIONES

Si los tallos de apio están fibrosos, use un pelador de verduras para retirar y desechar la capa fibrosa del exterior. Después, usando el pelador de verduras ralle los tallos en tiras largas y delgadas. Si resultan demasiado delgados para poder rallarlos, rebánelos lo más que pueda con un cuchillo para chef.

Usando el cuchillo para chef corte la sandía transversalmente a la mitad, empezando en donde estaba el tallo. Corte cada mitad a la mitad una vez más para partir en cuartos. Trabajando con una cuarta parte a la vez, separe la pulpa de la cáscara, siguiendo cuidadosamente la curvatura de la cáscara. Deseche la cáscara y corte la pulpa en cubos de aproximadamente 2 cm (¾ in).

En un tazón grande mezcle el apio rallado, la sandía, el queso y la menta. Rocíe con el aceite de oliva y el jugo de limón, espolvoree con una cucharadita de sal y ¼ cucharadita de pimienta y mezcle hasta integrar por completo. Pruebe y rectifique la sazón. Usando una cuchara ranurada, divida la ensalada uniformemente entre platos individuales fríos. Sirva de inmediato.

En esta llamativa ensalada, el sabor salado, ácido y lácteo del queso ricotta salata contrasta deliciosamente con el dulce y jugoso sabor de la sandía y la textura crujiente y refrescante del apio. Un manojo de hojas de menta troceadas agrega frescura mientras que el rico aceite de oliva une todos los sabores.

ensalada de berenjena asada, elote y pan con vinagreta de jitomate a la albahaca

En esta versión innovadora para la clásica ensalada italiana de pan, la albahaca es un sazonador adecuado para una vinagreta de jitomate fresco. Lo más sorprendente es que el dulce sabor de la albahaca, parecido al del anís, acentúa perfectamente el sabor ahumado de la berenjena ahumada y el sabor tostado del elote asado.

Coloque una olla con dos terceras partes de agua sobre fuego alto y lleve a ebullición. Llene un tazón con dos terceras partes de agua con hielo. Usando un cuchillo mondador marque una X sobre la base de cada jitomate. Deje caer los jitomates en el agua hirviendo y caliente entre 15 y 30 segundos, hasta que sus pieles se aflojen. Usando una cuchara ranurada pase los jitomates al agua con hielo y deje reposar hasta que se enfríen. Retire los jitomates del agua con hielo y retire las pieles. Descorazone los jitomates y parta transversalmente a la mitad. Exprima suavemente cada mitad de jitomate para retirar las semillas y pique toscamente su pulpa. Deberá tener aproximadamente 1 ½ taza de jitomate picado.

Pase los jitomates picados a un tazón de material no reactivo. Agregue 2 cucharadas de la albahaca, el vinagre, una cucharada del aceite de oliva, el ajo, ½ cucharadita de sal y un poco de pimienta. Usando una licuadora de inmersión, procese hasta que se forme una vinagreta con cierta textura. (O, si lo desea, muela los ingredientes en una licuadora.) Pruebe y rectifique la sazón. Reserve.

Prepare un asador de carbón o gas para cocinar a fuego directo sobre fuego medio-alto (página 147). Retire las hojas y los cabellos de los elotes. Barnice los elotes por todos lados con una cucharada del aceite de oliva y sazone con sal y pimienta. Barnice las rebanadas de berenjena por ambos lados con las 6 cucharadas restantes de aceite de oliva y sazone por ambos lados con sal y pimienta.

Ase las rebanadas de berenjena alrededor de 12 minutos en total, volteándolas una vez, hasta que estén suaves y se les marquen las rayas de la parrilla por ambos lados. Pase a una tabla de picar. Ase los elotes entre 10 y 12 minutos, volteándolos frecuentemente, hasta que tengan puntos quemados. Pase a la tabla de picar. Corte las rebanadas de berenjena en trozos de 2 cm (¾ in). Usando un cuchillo para chef, corte los elotes transversalmente a la mitad. Coloque cada mitad de elote, con la parte plana sobre una tabla de picar y corte los granos para desprenderlos.

En un tazón grande mezcle la berenjena con los granos de elote, las 4 cucharadas restantes de albahaca y los cubos de pan. Agregue la vinagreta de jitomate y mezcle hasta incorporar por completo. Pase a un platón o tazón de servicio y sirva de inmediato.

jitomates maduros, 2 grandes (aproximadamente 450 g/ 1 lb en total)

hojas de albahaca fresca, 6 cucharadas, cortadas en listones delgados

vinagre balsámico, 2 cucharadas

aceite de oliva extra virgen, 8 cucharadas

ajo, 2 dientes grandes, finamente picados

sal de mar y pimienta recién molida

elotes, 3

berenjenas, 2 grandes (aproximadamente 1 kg/ 2 ½ lb en total), cortadas transversalmente en rebanadas de 1 cm (½ in) de grueso

pane pugliese u otro pan campestre crujiente, 1 hogaza (350 g/¾ lb) cortado en cubos de 2 ½ cm (1 in) (4 tazas)

RINDE DE 6 A 8 PORCIONES

En una variación para la clásica ensalada niçoise, el graso salmón silvestre reúne una variedad de verduras del mercado de granjeros, entre las cuales se encuentran los *haricots verts*. Los delgados ejotes verdes, cocinados brevemente para retener una suave textura crujiente, resaltan el fresco sabor herbal de esta sustanciosa ensalada.

ensalada niçoise con salmón silvestre sellado

papas rojas pequeñas, 1 kg (2 lb), partidas en cuartos

sal de mar y pimienta recién molida

haricots verts, 340 g (¾ lb)

salmón silvestre, 6 filetes sin piel (entre 140 g y 170 g/5 oz-6 oz cada uno), sin espinas (página 147)

aceite de canola, 1 cucharada

lechuga orejona, 1 cabeza, finamente rebanada

vinagreta de aceite y anchoas (página 144)

jitomates uva o cereza, 3 ½ tazas, cortados longitudinalmente a la mitad

huevos grandes, 6, cocidos (página 144), sin cascarón y cortados en cuartos

cebollín fresco, 2 cucharadas, finamente picado

RINDE 6 PORCIONES

Llene un tazón con dos terceras partes de agua con hielo. En una olla grande mezcle las papas con una cucharada de sal y agua para cubrir por 2 ½ cm (1 in) y lleve a ebullición sobre fuego alto. Reduzca el fuego a medio, tape parcialmente y hierva entre 5 y 7 minutos, hasta que las papas se sientan suaves al picarlas con la punta de un cuchillo mondador. Escurra y pase inmediatamente las papas al agua con hielo. Deje reposar hasta que se enfríen y use una cuchara ranurada para pasarlas a un tazón grande. Reserve el agua con hielo.

Llene la misma olla con dos terceras partes de agua y lleve a ebullición sobre fuego alto. Agregue una cucharada de sal y los haricots verts; cocine alrededor de 2 minutos, hasta que estén suaves pero crujientes. Escurra y pase los ejotes inmediatamente al agua con hielo. Deje reposar hasta que se enfríen y escurra perfectamente. Añada los ejotes al tazón con las papas. Reserve.

Sazone los filetes de salmón por ambos lados con sal y pimienta. En una sartén antiadherente grande caliente el aceite de canola sobre fuego medio-alto, hasta que esté muy caliente pero no humee. Trabajando en tandas agregue los trozos de salmón, con el lado en donde estaba la piel hacia arriba y cocine alrededor de 2 minutos, hasta dorar. Voltee el salmón y cocine durante 2 ó 3 minutos más, hasta que esté opaco en el centro. Pase a un plato grande y cubra holgadamente con papel aluminio.

Agregue la lechuga, ¾ cucharadita de sal y un poco de pimienta a las papas y haricots verts y mezcle. Rocíe con aproximadamente la mitad de la vinagreta y mezcle una vez más. En un tazón mezcle los jitomates con ¼ cucharadita de sal.

Divida la mezcla de lechuga con papas y ejotes uniformemente entre platos individuales. Usando una cuchara ranurada cubra cada porción con una cantidad uniforme de los jitomates y con un trozo de salmón. Acomode 4 cuartos de huevo sobre cada porción y espolvoree ligeramente con sal. Esparza el cebollín sobre cada ensalada y sirva de inmediato. Pase la vinagreta restante a la mesa.

Las pequeñas aceitunas niçoise son ciertamente saladas, pero también proporcionan un sabor carnoso y ligeramente anuezado que es característico de esta variedad. En esta ensalada se combinan con anchoas y se incorporan con la vinagreta. El aderezo final tiene un atrevido sabor enérgico que fácilmente protege el delicioso sabor del salmón.

láminas de calabacitas con limón, menta y queso feta

La fresca y refrescante menta proporciona brillo a esta sencilla ensalada, en la que las láminas de calabacitas crudas parecen anchos listones de pasta. El suave sabor de las calabacitas se salpica con el sabor salado del queso feta. El aceite de oliva infunde este platillo con suntuosidad y la ralladura de limón le proporciona un toque cítrico.

Limpie las calabacitas pero no les retire la piel (la piel agrega color y textura). Usando un pelador de verduras filoso, rebane longitudinalmente las calabacitas en tiras largas y delgadas, dejando caer las tiras en un tazón. Deberá tener aproximadamente 6 tazas. (No se preocupe si no puede rebanar los centros con semilla; deséchelos o reserve para otro uso.)

En un tazón pequeño bata el aceite de oliva con la ralladura de limón. Rocíe esta mezcla sobre las calabacitas y sazone con ¼ cucharadita de sal y la misma cantidad de pimienta. Agregue la menta y el queso feta al tazón y mezcle suavemente. Pruebe y rectifique la sazón. Pase la ensalada a un platón y sirva de inmediato.

calabacitas, 4 (aproximadamente 1 kg/ 2 lb en total)

aceite de oliva extra virgen, ¼ taza

ralladura de limón, 1 cucharadita, finamente rallada

sal de mar gruesa y pimienta recién molida

hojas de menta fresca, ¼ taza, troceadas

queso feta, 150 g (⅓ lb), toscamente picado

RINDE DE 4 A 6 PORCIONES

ensalada de orzo con jitomates uva, alcaparras y ajo asado

ajo, 1 cabeza

aceite de oliva extra virgen, ½ taza más 1 ½ cucharada

vinagre de vino tinto, ¼ taza

azúcar, 1 cucharadita

sal de mar y pimienta recién molida

pasta orzo, 2 tazas (340 g/ ¾ lb)

jitomates uva, de preferencia una mezcla de rojos y amarillos, 4 tazas, partidos longitudinalmente a la mitad

alcaparras, ¼ taza, enjuagadas y escurridas

ralladura fina de limón, 1 cucharada

hojas de albahaca fresca, ½ taza, troceadas

RINDE DE 4 A 6 PORCIONES

Precaliente el horno a 200°C (400°F).

Rebane y deseche 1 cm (½ in) de la parte superior de la cabeza de ajo. Coloque la cabeza de ajo, con la parte cortada hacia arriba, sobre un trozo de papel aluminio lo suficientemente grande para cubrirlo por completo, rocíelo con ½ cucharada del aceite de oliva y cúbralo herméticamente con el papel aluminio. Hornee alrededor de una hora, hasta que esté dorado y se sienta suave al presionarlo ligeramente. Desenvuelva y deje enfriar a temperatura ambiente.

Exprima los dientes de ajo asados para retirarlos de sus pieles y deseche las pieles. Mida 2 cucharadas de ajo asado (reserve el restante para otro uso) y coloque en un tazón pequeño de material no reactivo. Agregue el vinagre, azúcar, ½ cucharadita de sal y un poco de pimienta y bata con un batidor globo hasta que se disuelva el azúcar. Integre lentamente la ½ taza restante más una cucharada de aceite de oliva batiendo hasta incorporar por completo para hacer un aderezo. Pruebe y rectifique la sazón.

Llene una olla grande con dos terceras partes de agua y lleve a ebullición sobre fuego alto. Agregue una cucharada de sal y la pasta orzo, mezcle hasta incorporar por completo y cocine alrededor de 8 minutos o de acuerdo a las instrucciones del paquete, hasta que esté al dente. Escurra en un colador y enjuague debajo del chorro de agua fría. Escurra perfectamente y pase a un tazón grande.

En un tazón mezcle los jitomates con ½ cucharadita de sal y deje reposar alrededor de 5 minutos, hasta que suelten su jugo; escurra en un colador. Integre los jitomates escurridos con la pasta y aproximadamente dos terceras partes del aderezo (reserve el restante para otro uso), ¾ cucharadita de sal, las alcaparras, ralladuras de limón y la albahaca. Pruebe y rectifique la sazón. Mezcle hasta integrar por completo, pase a un tazón de servicio y sirva de inmediato.

Las alcaparras son pequeñas pero tienen mucho sabor. Salpican esta ensalada de pasta orzo, que parece arroz, con un sabor ácido y salado ofreciendo un agradable contraste para los dulces jitomates uva, la albahaca con sabor a orozuz y el ajo asado con sabor a nuez.

Una marinada para filete muestra las capas de sabores en una ensalada servida como plato principal. Presentando arrachera asada y brillantes pimientos como ingredientes principales, este platillo es colorido y delicioso. Una salsa con influencia española actúa como un aderezo, agregando sabor para unir todos los elementos.

ensalada de filete asado, pimienta y cebolla con aderezo de romesco

arrachera de res, 1 ¼kg (2 ¾ lb)

marinada de páprika ahumada (página 144)

cebollas moradas, 2 pequeñas

pimientos, 3 (1 *de cada color:* amarillo, rojo y naranja)

aceite de oliva extra virgen, 4 cucharadas

sal de mar y pimienta recién molida

jugo de naranja fresco, 1 cucharada

vinagre de jerez, 2 cucharadas

páprika ahumada dulce española, ¼ cucharadita

ajo, 2 dientes, finamente picado

pimientos del piquillo en frasco, 3

almendras blanqueadas, 1 ½ cucharada, picadas

lechuga de hoja verde, ½ cabeza grande, hojas partidas en trozos del tamaño de un bocado

perejil liso fresco, 2 cucharadas, picado

RINDE 6 PORCIONES

Coloque la arrachera en un refractario de material no reactivo y agregue la marinada. Voltee la carne algunas veces para cubrir con la marinada, tape y refrigere por lo menos durante 2 horas o de preferencia durante toda la noche, volteando una o dos veces.

Aproximadamente una hora antes de cocinar, retire la arrachera del refrigerador. Corte las cebollas transversalmente en rodajas de 1 cm (½ in) de grueso (no separe las capas). Corte los pimientos en trozos anchos, retirando y desechando los tallos, semillas y venas. Barnice las verduras con 2 cucharadas del aceite de oliva y sazone ligeramente con sal y pimienta.

Prepare un asador de carbón o gas para asar a fuego directo sobre fuego medio-alto (página 147). Mientras se calienta el asador, mezcle en un procesador de alimentos las 2 cucharadas restantes de aceite de oliva, el jugo de naranja, vinagre, páprika, ajo, pimientos del piquillo, almendras, ½ cucharadita rasa de sal y un poco de pimienta. Procese alrededor de 15 segundos, hasta que se forme un aderezo relativamente terso. Pruebe y rectifique la sazón. Reserve.

Ase las cebollas entre 7 y 10 minutos y los pimientos alrededor de 15 minutos, volteando una vez, hasta que estén suaves y ligeramente quemados por ambos lados. Pase a un plato. Retire la carne de la marinada y sazone por ambos lados con sal y pimienta. Ase entre 10 y 15 minutos, volteando una sola vez, hasta dorar por ambos lados y que un termómetro de lectura instantánea insertado en la parte más gruesa registre 55°C (130°F) para término medio rojo o hasta obtener el término deseado. Pase a una tabla de picar y cubra holgadamente con papel aluminio. Corte los pimientos en tiras de 1 cm (½ in) de grueso y separe las rebanadas de cebolla en anillos.

En un tazón mezcle la lechuga con ⅛ cucharadita de sal. Divida la lechuga uniformemente entre platos individuales. Rebane finamente la arrachera en diagonal. Cubra cada montículo de lechuga con una cantidad uniforme de carne, cebolla y pimientos. Usando una cuchara coloque el aderezo sobre cada ensalada, dividiéndolo uniformemente, y espolvoree con un poco de perejil. Sirva de inmediato.

La páprika ahumada española es rica en sabor natural de chiles, cocoa y cuero. En esta receta proporciona un robusto sabor ahumado y un maravilloso color rojo a una marinada para un filete y un aderezo estilo romesco. Es un sazonador apto para un platillo que rebosa de sabores dorados en el asador.

ensalada de papa y ejotes con hierbas y anchoas

Coloque una olla con dos terceras partes de agua sobre fuego alto y lleve a ebullición. Llene un tazón grande con dos terceras partes de agua con hielo. Agregue una cucharada de sal y los ejotes verdes al agua hirviendo y cocine alrededor de 4 minutos, hasta que estén de color verde brillante y suaves pero crujientes. Escurra los ejotes y páselos inmediatamente al agua con hielo. Deje reposar hasta que se enfríen y escurra una vez más. Corte cada ejote verde transversalmente a la mitad y reserve.

En la misma olla usada para cocinar los ejotes mezcle las papas con 1 ½ cucharada de sal y agua para cubrir en 2 ½ cm (1 in) y lleve a ebullición sobre fugo alto. Reduzca el fuego a medio, tape parcialmente y hierva a fuego lento de 8 a 10 minutos, hasta que las papas se sientan suaves al picarlas con la punta de un cuchillo. Escurra en un colador y deje reposar hasta que estén lo suficientemente frías para poder tocarlas. Corte las papas en rebanadas de 1 cm (⅜ in) de grueso y pase a un tazón grande.

En un procesador de alimentos mezcle las anchoas con los chalotes y el ajo y pulse alrededor de 5 pulsaciones de un segundo, hasta picar finamente. Agregue el azúcar, mostaza, albahaca, estragón, perejil, vinagre y aceite de oliva; procese alrededor de 10 segundos, hasta que se forme un aderezo relativamente terso. Pruebe y rectifique la sazón.

Agregue aproximadamente tres cuartas partes del aderezo a las papas calientes y mezcle hasta cubrir. Añada los ejotes, el aderezo restante, 1 ¼ cucharadita de sal y ¼ cucharadita de pimienta; mezcle hasta integrar. Pruebe y rectifique la sazón. Pase a un tazón de servicio y sirva de inmediato. O, si desea un sabor más fuerte, deje reposar a temperatura ambiente alrededor de una hora ante de servir.

sal de mar y pimienta recién molida

ejotes verdes, ½ kg (1 lb)

papas cambray, de preferencia yukon doradas, 1 ¼ kg (3 lb)

filetes de anchoa en aceite de oliva, 6 ó 7

chalotes, 2 pequeños

ajo, 1 diente grande

azúcar, ½ cucharadita

mostaza dijon, 1 cucharadita

hojas de albahaca fresca, ½ taza

hojas de estragón fresco, ½ taza

hojas de perejil liso fresco, ½ taza

vinagre de vino blanco, 6 cucharadas

aceite de oliva extra virgen, ¼ taza

RINDE DE 6 A 8 PORCIONES

ensalada de **antipasto con vinagreta de** peperoncini

aceite de oliva extra virgen, ¼ taza más 6 cucharadas

ajo, 4 dientes, finamente picado

pan baguette sourdough o ácido, 1

sal de mar

vinagre de vino tinto, ¼ taza

peperoncini, 5, sin tallo ni semillas y finamente picados

orégano fresco, 1 cucharada, finamente picado

azúcar, 2 cucharaditas

jitomates cereza o uva, de preferencia una mezcla de rojos y amarillos, 4 tazas, partidos longitudinalmente a la mitad

aguacate hass, 3

hojas de arúgula, 1 ó 2 tazas, sin tallos

queso provolone, 230 g (½ lb), cortado en cubos de 1 cm (½ in)

prosciutto, 300 g (⅔ lb), finamente rebanado

RINDE 6 PORCIONES

Precaliente el horno a 175°C (350°F).

En un tazón mezcle el ¼ taza de aceite de oliva con el ajo. Corte la baguette en 18 rebanadas cada una de aproximadamente 1 cm (½ in) y acomode en una sola capa sobre una charola para hornear. Barnice ambos lados de las rebanadas de baguette con el aceite de ajo y espolvoree ligeramente con sal. Hornee alrededor de 10 minutos, hasta que estén ligeramente crujientes pero no doradas. Deje enfriar a temperatura ambiente.

En un tazón pequeño de material no reactivo bata con un batidor globo el vinagre con el peperoncini finamente picado, orégano, azúcar y ¼ cucharadita de sal hasta que se disuelva el azúcar. Integre lentamente las 6 cucharadas de aceite de oliva batiendo hasta incorporar por completo para hacer una vinagreta. Pruebe y rectifique la sazón.

En un tazón mezcle los jitomates con ¼ cucharadita de sal y deje reposar alrededor de 5 minutos, hasta que suelten su jugo. Escurra en un colador. Parta los aguacates a la mitad, retire los huesos y la piel (páginas 145 y 146) y corte transversalmente en rebanadas de aproximadamente 3 mm (⅛ in) de grueso. Espolvoree los aguacates con una pizca generosa de sal.

Acomode la arúgula, jitomates escurridos, aguacates y queso sobre un platón grande. Bata la vinagreta para reintegrar y rocíela sobre los ingredientes preparados. Acomode el prosciutto y las tostadas de pan sobre el platón y sirva de inmediato.

Un delicioso sándwich italiano sirve de inspiración para este alegre aderezo. El sabor picante y avinagrado del peperoncini finamente picado es una cubierta excelente para los aguacates amantequillados, el sedoso prosciutto y el cremoso queso provolone. Rebanadas tostadas de pan ácido con ajo son el acompañamiento ideal para esta original ensalada.

Cuando los duraznos son caramelizados sobre una parrilla se intensifica su dulzura. En esta receta están combinados con fuerte queso azul y suave lechuga mantequilla. Una vinagreta de frambuesa complementa el sabor afrutado de los duraznos y equilibra el fuerte sabor del queso.

ensalada de durazno asado con vinagreta de queso azul y frambuesa

frambuesas, ½ taza

jugo de naranja fresco, 3 cucharadas

vinagre de frambuesa, 1 ½ cucharadita

azúcar, 1 ½ cucharadita

sal de mar y pimienta recién molida

aceite de oliva extra virgen, 3 cucharadas más el necesario para barnizar

duraznos, 3, partidos a la mitad y sin hueso

aceite de canola para asar

miel de abeja, 1 cucharada

pistaches sin cáscara, ½ taza, tostados (página 145)

lechuga mantequilla, 1 ½ cabeza pequeña, sus hojas separadas

queso azul, como el maytag, 100 g (¼ lb), desmoronado

RINDE 4 PORCIONES

En una licuadora mezcle las frambuesas con el jugo de naranja alrededor de 10 segundos, hasta obtener una mezcla tersa. Cuele a través de un colador de malla fina colocado sobre un tazón pequeño de material no reactivo, presionando los sólidos para extraer todo el puré posible. Integre el vinagre, azúcar, ⅛ cucharadita de sal y un poco de pimienta batiendo con un batidor globo hasta que se disuelva el azúcar. Integre lentamente las 3 cucharadas de aceite de oliva, batiendo hasta integrar por completo para hacer una vinagreta. Pruebe y rectifique la sazón.

Prepare un asador de carbón o gas para asar a fuego directo sobre fuego medio-alto (página 147). O, si lo desea, precaliente una sartén acanalada para asar a fugo medio-alto sobre su estufa.

Barnice las mitades de durazno por ambos lados con aceite de oliva. Sazone ligeramente por ambos lados con sal y pimienta.

Barnice la rejilla del asador caliente o la sartén para asar con aceite de canola. Ase las mitades de durazno de 2 a 3 minutos en total, volteando una sola vez, hasta que se suavicen y se les marque la rejilla por ambos lados. Pase a una tabla de picar y barnice los lados cortados uniformemente con la miel de abeja Corte cada mitad de durazno en cuartos.

En un tazón pequeño mezcle los pistaches con ⅛ cucharadita de sal. En un tazón grande mezcle la lechuga con ⅛ cucharadita de sal y un poco de pimienta. Bata la vinagreta para reintegrar y rocíe la mitad de vinagreta sobre la lechuga y mezcle hasta incorporar. Divida la lechuga aderezada uniformemente entre platos individuales. Cubra cada ensalada con las rebanadas de durazno, dividiéndolas uniformemente, y espolvoree con los pistaches y el queso azul. Rocíe cada ensalada con un poco de la vinagreta restante y sirva de inmediato.

En esta receta las frambuesas frescas y regordetas se convierten en un aderezo vibrante con los toques florales de las frambuesas y una ligera acidez del jugo de naranja y el vinagre de frambuesa. Los crujientes pistaches complementan la suavidad de los duraznos asados mientras que el salado queso azul contrasta con el dulce sabor afrutado de la ensalada.

otoño

ensalada de hongos y chalotes asados con vinagreta balsámica

hongos mixtos silvestres y cultivados como los chanterelle y shiitake, 450 g (1 lb)

aceite de oliva extra virgen, 8 cucharadas más 2 cucharaditas

hojas de tomillo fresco, 2 ½ cucharaditas

sal de mar y pimienta recién molida

chalotes, 4 grandes

vinagre balsámico, ¼ taza

jugo de limón fresco, 1 cucharadita

azúcar, ½ cucharadita

achicoria (radicchio de Treviso), 1 cabeza, finamente rebanada

lechuga de hoja morada, 1 pequeña, hojas troceadas del tamaño de un bocado

perejil liso fresco, 1 taza, toscamente picado

RINDE 4 PORCIONES

Precaliente el horno a 200°C (400°F). Retire y deseche los tallos duros de los hongos y rebane los hongos finamente.

En una charola para hornear pequeña con borde mezcle los hongos con 3 cucharadas del aceite de oliva, 2 cucharaditas del tomillo, ½ cucharadita de sal y ¼ cucharadita de pimienta. En un molde para pay o en un refractario pequeño mezcle los chalotes con 2 cucharaditas de aceite de oliva, 2 pizcas de sal y un poco de pimienta. Coloque ambos recipientes en el horno. Ase los hongos alrededor de 15 minutos, hasta que estén suaves y dorados, moviendo una vez a la mitad del cocimiento. Ase los chalotes entre 25 y 30 minutos, hasta que estén suaves y ligeramente dorados, moviendo una vez a la mitad del cocimiento. Retire y deseche las raíces de 2 de los chalotes asados y colóquelos en un procesador de alimentos. Tape los demás chalotes y los hongos con papel aluminio para mantenerlos calientes.

Agregue las 5 cucharadas restantes de aceite de oliva, la ½ cucharadita restante de tomillo, el vinagre, jugo de limón, azúcar, ½ cucharadita rasa de sal y un poco de pimienta al procesador de alimentos y procese alrededor de 30 segundos, hasta que se forme un aderezo terso. Pruebe y rectifique la sazón.

Rebane finamente los 2 chalotes asados. En un tazón grande mezcle la achicoria, lechuga, perejil, 2 pizcas de sal y un poco de pimienta. Rocíe con aproximadamente dos terceras partes del aderezo y mezcle una vez más. Pruebe y rectifique la sazón. Divida las hortalizas aderezadas uniformemente entre platos individuales. Cubra cada porción con una cantidad proporcional de hongos calientes y chalotes rebanados y rocíe con un poco del aderezo restante. Sirva de inmediato.

Usados en el aderezo y como un ingrediente de la ensalada, los chalotes asados infunden a este platillo con su dulce y suave sabor similar al de la cebolla. Los hongos asados proporcionan un sabor natural que se combina agradablemente con los chalotes y el sabor amargo de la achicoria.

ensalada de cebada con pavo, arándanos secos y calabaza asada

En esta ensalada con base de granos, los arándanos agridulces secos contrastan con el pavo ahumado y la calabaza butternut. El jugo de limón y las cebollitas de cambray agregan frescura mientras que el sabor anuezado de la cebada se usa como un fondo neutral. Como resultado se obtiene un platillo con un acogedor espíritu otoñal logrado con maravillosas capas de sabores y texturas.

Coloque la cebada en un tazón y cubra con agua. Deje remojar durante 30 minutos.

Escurra la cebada en un colador, pase a una olla, agregue el caldo y una cucharadita de sal y lleve a ebullición sobre fuego alto. Reduzca el fuego a medio-bajo y hierva alrededor de 30 minutos, sin cubrir, hasta que la cebada esté suave y todo el líquido se haya absorbido. Pase a un tazón grande y deje enfriar a temperatura ambiente.

Mientras tanto, precaliente el horno a 200°C (400°F). Retire la piel de la calabaza, corte longitudinalmente a la mitad y retire las semillas y las fibras. Corte la pulpa en cubos de 1 cm (½ in); deberá tener aproximadamente 4 ½ tazas. En una charola para hornear con borde mezcle los cubos de calabaza con 2 cucharadas del aceite de oliva, una cucharadita generosa de sal y ¼ cucharadita generosa de pimienta. Extienda los cubos en una capa uniforme sobre la charola para hornear y ase alrededor de 12 minutos, hasta que esté suave pero se sienta ligeramente firme al morderla. Deje enfriar a temperatura ambiente.

En un tazón pequeño de material no reactivo bata con un batidor globo el jugo de limón con la miel, perejil, ¼ cucharadita de sal y un poco de pimienta. Integre lentamente las 6 cucharadas restantes del aceite de oliva batiendo hasta integrar por completo para hacer un aderezo. Pruebe y rectifique la sazón.

Incorpore el aderezo, calabaza, pavo, arándanos y cebollitas de cambray con la cebada fría y mezcle hasta integrar por completo. Pase a un tazón de servicio y sirva de inmediato.

cebada perla (*farro*), 1 ⅓ taza (aproximadamente 200 g/ ½ lb)

caldo de pollo bajo en sodio, 4 tazas

sal de mar y pimienta recién molida

calabaza butternut, 2 (aproximadamente 1 kg/ 3 lb)

aceite de oliva extra virgen, 8 cucharadas

jugo de limón amarillo fresco, ¼ taza

miel de abeja, 1 cucharadita

perejil liso fresco, 1 cucharada, finamente picado

pavo ahumado sin hueso, 170 g (6 oz), cortado en cubos de 1 cm (½ in)

arándanos secos endulzados, ⅔ taza

cebollitas de cambray, 3, sus partes blancas y verde claro, finamente rebanadas

RINDE 6 PORCIONES

Antes de que desaparezcan, disfrute de los higos frescos en esta elegante ensalada de otoño. En comparación con el sabor amargo de la escarola y el sabor a nuez del queso gouda añejado, las notas dulces de los higos brillan maravillosamente. Un aderezo de oporto perfecciona el platillo con una intensidad agridulce.

escarola e higos con aderezo de oporto

oporto ruby, 1 taza

vinagre balsámico, ¼ taza

azúcar, ¼ cucharadita

sal de mar y pimienta recién molida

aceite de oliva extra virgen, ¼ taza

escarola, 1 cabeza, sus hojas troceadas del tamaño de un bocado

higos misión, entre 10 y 12, sin tallo y partidos longitudinalmente a la mitad

queso gouda añejo, 100 g (¼ lb)

RINDE DE 4 A 6 PORCIONES

En una olla pequeña y gruesa sobre fuego medio-alto hierva el oporto alrededor de 15 minutos, hasta que se reduzca y se convierta en una miel. Retire del fuego y deje enfriar a temperatura ambiente.

En un tazón pequeño de material no reactivo bata con un batidor globo el oporto reducido con el vinagre balsámico, azúcar, 2 pizcas de sal y una pizca de pimienta hasta que el azúcar se disuelva. Integre lentamente el aceite de oliva batiendo hasta incorporar por completo para hacer un aderezo. Pruebe y rectifique la sazón.

En un tazón grande mezcle la escarola con 2 pizcas grandes de sal y un poco de pimienta. Bata el aderezo para reintegrar, rocíe aproximadamente la mitad del aderezo sobre la escarola y mezcle hasta integrar por completo. Pruebe y rectifique la sazón. Divida la escarola aderezada uniformemente entre platos individuales y cubra cada porción con 4 ó 5 mitades de higo. Usando un pelador de verduras ralle el queso sobre las ensaladas dividiéndolo uniformemente. Rocíe cada ensalada con un poco del aderezo restante y sirva de inmediato.

El oporto ruby tiene un sabor dulce pero bastante fuerte. Al cocinarse hasta convertirlo en una miel y combinarlo con vinagre balsámico forma un aderezo intenso, similar a un postre, que sirve para acompañar higos frescos, firme escarola y auténtico queso gouda

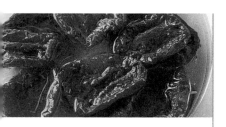

ensalada de hinojo, garbanzo y jitomates deshidratados con queso mozzarella

Los jitomates deshidratados mantienen su concentrada esencia de jitomates maduros y tienen una textura chiclosa y carnosa. En esta ensalada su intensidad se mantiene con ayuda de los garbanzos con sabor a nuez y los bocconcini de queso mozzarella fresco de suave sabor lácteo. Rebanadas de hinojo agregan una textura crujiente y un sabor a orozuz, mientras que el eneldo y el orégano frescos proporcionan toques aromáticos y herbales.

En un tazón mezcle los garbanzos con los jitomates deshidratados, una cucharada del aceite de oliva, 2 cucharadas del eneldo, el orégano, la cucharadita de jugo de limón, ¼ cucharadita de sal y un poco de pimienta. Deje reposar a temperatura ambiente durante 15 minutos.

En un tazón pequeño de material no reactivo bata ¼ taza de jugo de limón con el azúcar, ¼ cucharadita de sal y un poco de pimienta hasta que se disuelva el azúcar. Integre lentamente las 6 cucharadas restantes de aceite de oliva batiendo con un batidor globo hasta incorporar por completo para hacer un aderezo. Pruebe y rectifique la sazón.

En un tazón grande mezcle el hinojo, lechuga, eneldo restante, ¼ cucharadita de sal y un poco de pimienta. Bata el aderezo para reintegrar y rocíelo sobre la mezcla de hinojo y lechuga; mezcle hasta integrar por completo. Pruebe y rectifique la sazón. Divida la mezcla aderezada uniformemente entre platos individuales. Cubra con la mezcla de garbanzo y jitomates deshidratados y los *bocconcini*, dividiéndolos uniformemente. Sirva de inmediato.

garbanzos, 1 lata (400 g/ 15 ½ oz), escurridos y enjuagados

jitomates deshidratados en aceite de oliva, 1 taza, escurridos y toscamente picados

aceite de oliva extra virgen, 7 cucharadas

eneldo fresco, ⅔ taza, finamente picado

orégano fresco, 1 cucharadita, finamente picado

jugo de limón amarillo fresco, ¼ taza más 1 cucharadita

sal de mar y pimienta recién molida

azúcar, 1 cucharadita

bulbos de hinojo, 2 pequeños, descorazonados y finamente rebanados

lechuga orejona, 1 cabeza, sus hojas troceadas del tamaño de un bocado

bocconcini de queso mozzarella fresco, 170 g (6 oz), cortados en cuartos

RINDE 6 PORCIONES

Una ensalada caliente de espinaca se hace más sustanciosa gracias a la adición de huevos frescos de granja cocidos lentamente en agua. Trocitos de pancetta crujiente adornan las hortalizas agregando su encanto salado, mientras que el tomillo les ofrece su aroma a madera. Es un platillo perfecto para un almuerzo otoñal.

ensalada de espinaca con huevos poché y vinagreta caliente de pancetta

aceite de oliva extra virgen, 1 cucharada más el necesario para la vinagreta

pancetta o tocino, 100 g (¼ lb), cortada en cubos de ½ cm (1/4 in)

vinagre de frambuesa o de vino tinto, ½ taza

hojas de tomillo fresco, 2 ½ cucharaditas, troceadas

azúcar, ½ cucharadita

chalotes, 2 grandes, finamente picados

sal de mar y pimienta recién molida

espinaca, 1 manojo (½ kg/1 lb), sin tallos

huevos poché (página 144)

RINDE 6 PORCIONES

Caliente una sartén pequeña de material no reactivo sobre fuego medio-alto hasta que esté muy caliente. Agregue la cucharada de aceite de oliva y caliente hasta que sisee. Añada la pancetta y cocine alrededor de 4 minutos, moviendo ocasionalmente, hasta que esté dorada y crujiente. Pase a un colador colocado sobre un tazón refractario pequeño y reserve.

En un tazón pequeño de material no reactivo bata el vinagre con el tomillo y el azúcar hasta que se disuelva el azúcar.

Vuelva a colocar la sartén para saltear sobre fuego medio-alto (aún tendrá una capa de grasa). Agregue los chalotes y saltee alrededor de un minuto, hasta que estén translúcidos y suaves pero no dorados. Añada la mezcla de vinagre, lleve a ebullición y hierva durante un minuto raspando la base con una cuchara de madera para retirar los trocitos dorados. Retire del fuego. Agregue un poco de pimienta y 3 ½ cucharadas de la grasa de la pancetta reservada, completando con aceite de oliva si fuera necesario. Bata con un batidor globo hasta integrar por completo para hacer una vinagreta. Pruebe y rectifique la sazón; tape para mantener caliente.

En un tazón grande mezcle las espinacas con 2 pizcas generosas de sal y un poco de pimienta. Bata la vinagreta caliente para reintegrar, rocíe aproximadamente la mitad de ella sobre la espinaca y mezcle para incorporar. Pruebe y rectifique la sazón. Divida la espinaca aderezada uniformemente entre platos individuales. Cubra cada porción con un huevo poché. Rocíe cada huevo con un poco de la vinagreta restante y sazone ligeramente con pimienta. Esparza la pancetta cocida sobre las ensaladas y sirva de inmediato.

Esta receta contiene pancetta salada y sabrosa en dos presentaciones: La grasa que proporciona un rico sabor a carne a la vinagreta agridulce caliente y los crujientes trocitos dorados que se esparcen sobre el platillo ya servido. Un huevo poché agrega otro elemento suntuoso a esta suculenta ensalada.

mezcla de hortalizas tiernas y peras asadas con vinagreta de granos de mostaza

Los granos de mostaza son un contrapunto picante para el transfondo afrutado del jugo de manzana y el vinagre de sidra en el aderezo que cubre esta ensalada otoñal. Las peras asadas proporcionan cuerpo y dulzura a esta ensalada y las pepitas tostadas otorgan una agradable textura crujiente.

Precaliente el horno a 200°C (400°F).

Parta las peras a la mitad a través del tallo, descorazone cada mitad y corte longitudinalmente en rebanadas de aproximadamente 1 cm (½ in) de grueso. Coloque las rebanadas en una charola para hornear con borde, rocíe con las 2 cucharadas de aceite de oliva, espolvoree con ¼ cucharadita de sal y mezcle para cubrir. Extienda las rebanadas en una sola capa y ase durante 20 minutos. Voltee cuidadosamente las rebanadas y continúe asando alrededor de 20 minutos más, hasta que estén suaves y doradas pero aún mantengan su forma. Deje enfriar a temperatura ambiente.

En un tazón pequeño de material no reactivo bata con un batidor globo el vinagre con el jugo de manzana, chalote, mostaza, azúcar mascabado, ¼ cucharadita de sal y un poco de pimienta hasta que se disuelva el azúcar. Integre lentamente el ¼ taza restante de aceite de oliva batiendo hasta incorporar por completo para hacer un aderezo. Pruebe y rectifique la sazón.

En un tazón pequeño mezcle las pepitas con una pizca de sal. En un tazón grande mezcle las lechugas tiernas con las hojas de endibia, una pizca grande de sal y un poco de pimienta. Bata el aderezo para reintegrar, rocíe aproximadamente la mitad sobre las hortalizas y mezcle para incorporar por completo. Pruebe y rectifique la sazón. Divida las hortalizas aderezadas uniformemente entre platos individuales. Acomode las rebanadas de pera asada sobre las hortalizas dividiéndolas uniformemente y rocíe ligeramente con el aderezo (reserve el aderezo restante, si lo hubiera, para otro uso). Espolvoree las pepitas sobre las ensaladas dividiéndolas uniformemente y sirva de inmediato.

peras firmes, de preferencia anjou o bosc, 3

aceite de oliva extra virgen, ¼ taza más 2 cucharadas

sal de mar y pimienta recién molida

vinagre de sidra, ¼ taza

jugo de manzana, 3 cucharadas

chalote, 1 grande, finamente picado

mostaza de grano entero, 2 cucharaditas

azúcar mascabado claro, 1 ½ cucharadita compacta

pepitas sin sal, 3 cucharadas, tostadas (página 145)

mezcla de hortalizas tiernas (mesclun), 4 tazas colmadas

endibia belga, 2 grandes, sus hojas separadas

RINDE 6 PORCIONES

ensalada de col, pera asiática y uvas con vinagreta de sidra

vinagre de sidra,
2 ½ cucharadas

miel de abeja,
2 cucharaditas

mostaza dijon,
½ cucharadita

sal de mar y pimienta
recién molida

aceite de oliva extra virgen,
2 ½ cucharadas

pera asiática, 1 grande

col morada, ½ cabeza
pequeña

uvas verdes sin semilla, 2
tazas, partidas a la mitad

RINDE 6 PORCIONES

En un tazón pequeño de material no reactivo bata el vinagre con la miel, mostaza, ⅛ cucharadita de sal y un poco de pimienta. Integre lentamente el aceite de oliva batiendo con un batidor globo hasta integrar por completo para hacer una vinagreta. Pruebe y rectifique la sazón.

Parta la pera a la mitad, descorazone y corte las mitades en tiras delgadas. Corte la col longitudinalmente en dos y retire y deseche el corazón duro de cada mitad. Corte cada una transversalmente en tiras delgadas.

En un tazón grande mezcle suavemente la pera, col, uvas, ¼ cucharadita de sal y un poco de pimienta. Bata la vinagreta para reintegrar y rocíe sobre la mezcla de pera; mezcle hasta incorporar por completo. Pruebe y rectifique la sazón. Pase a un tazón poco profundo y sirva de inmediato.

Aquí el vinagre de sidra, ácido y ligeramente dulce, logra una buena combinación con la miel de abeja y la mostaza dijon para formar una vinagreta llena de brío. Complementa perfectamente el sabor afrutado de las uvas verdes y las crujientes peras asiáticas en esta versión hecha con col.

ensalada de brócoli y coliflor con cebollas en salmuera y tocino

En una olla pequeña de material no reactivo mezcle el vinagre con el azúcar, granos de pimienta, clavo y ¼ cucharadita de sal y lleve a ebullición sobre fuego alto. Reduzca el fuego a medio-bajo y hierva lentamente durante 10 minutos para infundir los sabores. Vierta la mezcla hacia un tazón refractario de material no reactivo, agregue la cebolla y deje reposar a temperatura ambiente durante una hora.

Mientras tanto, en una sartén grande sobre fuego medio cocine el tocino alrededor de 7 minutos, volteando una vez, hasta que esté dorado y crujiente. Pase a un plato cubierto con toallas de papel y escurra. Deje enfriar a temperatura ambiente y pique toscamente.

Coloque entre 2 ½ y 5 cm (1-2 in) de agua en un horno holandés u otra olla gruesa con tapa, adapte la olla con una canastilla para cocer alimentos al vapor y lleve a ebullición sobre fuego alto. Llene un tazón grande con dos terceras partes de agua con hielo, agregue una cucharada de sal y mezcle hasta que ésta se disuelva. Coloque las flores de coliflor en una sola capa en la canastilla, tape, reduzca el fuego a medio y cocine al vapor alrededor de 8 minutos, hasta que esté suave pero crujiente. Pase la coliflor inmediatamente al agua con hielo. Deje reposar hasta que se enfríe y, con ayuda de una cuchara ranurada, pase las flores de coliflor a un tazón grande. Reserve el agua con hielo. Cocine las flores de brócoli al vapor de la misma manera, alrededor de 4 minutos, hasta que estén suaves pero crujientes y pase al agua con hielo para que se enfríen. Escurra perfectamente y colóquelas en el tazón con la coliflor.

Rocíe el aceite de oliva sobre la mezcla de coliflor y brócoli, sazone con ¼ cucharadita de sal y un poco de pimienta; mezcle para integrar por completo. Pruebe y rectifique la sazón. Pase a un tazón de servir. Cubra con algunas de las rebanadas de cebolla en salmuera, levantándolas con un tenedor y retirando las especias enteras (reserve las cebollas en salmuera restantes para otro uso). Espolvoree con el tocino y sirva de inmediato.

vinagre de sidra, 2 tazas

azúcar, 3 cucharadas

granos de pimienta negra, 16

clavo entero, 11

sal de mar y pimienta recién molida

cebolla morada, 1 grande, finamente rebanada

tocino, 5 rebanadas

coliflor, 1 cabeza, cortada en flores de 2 1/2 cm (1 in) (aproximadamente 4 tazas)

brócoli, 1 cabeza grande, cortada en flores de 2 1/2 cm (1 in) (aproximadamente 6 tazas)

aceite de oliva extra virgen, 1/4 taza

RINDE DE 6 A 8 PORCIONES

En el otoño, las zanahorias recién cosechadas llenan el mercado de granjeros con su crujiente textura y su dulce sabor. Aquí se rediseña la ensalada de zanahorias con uvas pasas gracias a la adición de pastinacas naturales, especias del norte de África y el delicado sabor a nuez de los pistaches.

ensalada de zanahoria a las especias con pastinaca estilo norafricano

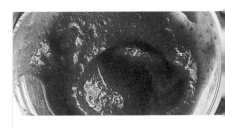

canela molida, ¼ cucharadita

comino molido, ¼ cucharadita

semillas de cilantro molido, ¼ cucharadita

jengibre molido, ⅛ cucharadita

zanahorias, 3 grandes (aproximadamente 340 g/ ¾ lb en total)

pastinacas, 3 grandes (aproximadamente 340 g/ ¾ lb en total)

jugo de limón amarillo fresco, ¼ taza

miel de abeja, 1 cucharada

pasta harissa, ¾ cucharadita

sal de mar y pimienta recién molida

aceite de oliva extra virgen, 6 cucharadas

pistaches sin cáscara, ½ taza, tostados (página 145) y toscamente picados

uvas pasas, ⅔ taza

cilantro o menta fresca, ¼ taza, toscamente picado

RINDE 6 PORCIONES

En una sartén pequeña sobre fuego medio-bajo tueste la canela, comino, semillas de cilantro y jengibre alrededor de 2 minutos, moviendo constantemente, hasta que aromaticen. Retire del fuego y deje enfriar a temperatura ambiente.

Retire la piel de las zanahorias y pastinacas y ralle en los orificios grandes de un rallador manual. Reserve.

En un tazón pequeño de material no reactivo bata con un batidor globo las especias tostadas con el jugo de limón, miel, pasta *harissa* y ½ cucharadita rasa de sal. Integre lentamente el aceite de oliva batiendo hasta incorporar por completo para hacer un aderezo. Pruebe y rectifique la sazón.

En un tazón mezcle los pistaches con una pizca de sal. Agregue las zanahorias y pastinacas, uvas pasas, ½ cucharadita de sal, un poco de pimienta y el aderezo; mezcle hasta integrar por completo. Pruebe y rectifique la sazón. Pase a un platón o tazón de servicio, espolvoree con el cilantro y sirva de inmediato.

La pasta harissa, una pasta de pimienta y especias del norte de África agrega una sugestión de picante a esta ensalada, una sabrosa miscelánea de ingredientes poco sofisticados y dulces. Las especias tostadas infunden al platillo con su calor mientras que la ricura tersa del aceite de oliva extra virgen proporciona profundidad y armoniza los sabores.

pollo con nuez de la India y salsa hoisin en hojas de lechuga

La salada y dulce salsa hoisin posee un sabor fuerte y especiado a melaza. Es el ingrediente definitivo en esta ensalada de pollo fácil de hacer que también se aromatiza con generosas dosis de jengibre y ajo. Las nueces de la India tostadas agregan un delicioso sabor a nuez además de una agradable textura crujiente.

En una sartén grande sobre fuego medio caliente el aceite de ajonjolí. Agregue la cebolla, jengibre y ajo y saltee alrededor de 2 minutos, moviendo ocasionalmente, hasta que aromaticen y la cebolla se haya suavizado. Agregue el pollo molido y eleve el fuego a medio-alto. Cocine alrededor de 8 minutos, moviendo y separando la carne con una cuchara de madera, hasta que el pollo esté uniformemente desmoronado y bien cocido.

Mientras tanto, en un tazón pequeño bata la salsa hoisin con el tamari, la pasta *Sriracha* y el azúcar mascabado. Cuando el pollo esté listo, agregue la mezcla de salsa hoisin y la mitad de las nueces de la India a la sartén y cocine alrededor de 3 minutos, moviendo ocasionalmente, hasta que aromaticen. Retire del fuego y tape para mantener caliente.

En un tazón grande mezcle la lechuga con 2 pizcas de sal y un poco de pimienta. Divida las hojas de lechuga uniformemente entre platos individuales o acomode sobre un platón. Usando una cuchara coloque la mezcla de pollo caliente en las hojas de lechuga dividiéndola uniformemente. Adorne con las nueces de la India restantes y las cebollitas de cambray; sirva de inmediato.

aceite de ajonjolí, 2 cucharadas

cebolla amarilla o blanca, ½, finamente picada

jengibre fresco, un trozo de 3 ½ cm (1 ½ in), sin piel y finamente picado

ajo, 7 dientes grandes, finamente picados

pollo molido, 700 g (1 ½ lb)

salsa hoisin, ¾ taza

tamari reducido en sodio, 6 cucharadas

salsa *sriracha*, 1 ¼ cucharadita

azúcar mascabado claro, 2 cucharaditas compactas

nuez de la India cruda, 1 taza, tostada (página 145) y toscamente picada

lechuga mantequilla, 1 cabeza grande, separada en hojas

sal de mar y pimienta recién molida

cebollitas de cambray 3, sus partes blancas y de color verde claro, finamente rebanadas

RINDE 6 PORCIONES

En una receta que celebra los sabores de México, un aderezo cremoso brilla con chipotle ahumado picante, ácido jugo cítrico y picante cilantro. Los camarones regordetes asados a la parrilla convierten a esta ensalada en una maravillosa elección para una cena durante una temporada cálida del otoño.

ensalada de camarones asados y aguacate con aderezo de chipotle

mayonesa, ⅓ taza más 1 cucharada

cilantro fresco, ¾ taza, toscamente picado

jugo de limón fresco, 2 ½ cucharadas

jugo de naranja fresco, 1 ½ cucharada

chalote, 1 pequeño, finamente picado

chiles chipotle en salsa de adobo, 1 cucharada, sin semillas y finamente picados, más 1 ½ cucharada de salsa de adobo

sal de mar y pimienta recién molida

camarones grandes, 700 g (1 ½ lb), sin piel y limpios

frijoles negros, 1 lata (425 g/15 oz) escurridos y enjuagados

aguacates hass, 2

lechuga orejona, 1 cabeza grande, sus hojas troceadas del tamaño de un bocado

RINDE DE 6 A 8 PORCIONES

En un procesador de alimentos mezcle la mayonesa con la mitad del cilantro, 2 cucharaditas del jugo de limón, el jugo de naranja, chalote finamente picado, chile chipotle finamente picado, ¼ cucharadita de sal y un poco de pimienta y procese alrededor de 10 segundos, hasta que se forme un aderezo terso y cremoso. Pruebe y rectifique la sazón. Tape y refrigere hasta el momento de usar.

Remoje en agua 12 pinchos de bambú para brocheta por lo menos durante 30 minutos. Prepare un asador de carbón o gas para asar a fuego directo sobre fuego alto (página 147).

En un tazón mezcle los camarones con una cucharada del jugo de limón y una cucharada de la salsa de adobo; mezcle para cubrir uniformemente. Deje reposar a temperatura ambiente durante 15 minutos para fundir los sabores.

En un tazón pequeño mezcle los frijoles con la ½ cucharada restante de salsa de adobo, ½ cucharadita del jugo de limón, ¼ cucharadita de sal y un poco de pimienta. Deje reposar a temperatura ambiente durante 15 minutos para fundir los sabores.

Escurra los pinchos para brocheta y ensarte 3 ó 4 camarones en cada uno. Espolvoree ligeramente con sal y pimienta y ase de 3 a 5 minutos en total, volteando una sola vez, hasta que los camarones estén de color rosado y totalmente opacos. Pase a un plato y rocíe los camarones con las 2 cucharaditas restantes de jugo de limón. Retire los camarones de las brochetas y reserve.

Parta los aguacates a la mitad, retire el hueso y la piel (página 145-146) y corte longitudinalmente en rebanadas de aproximadamente 1 cm (⅜ in).

En un tazón grande mezcle la lechuga con ¼ cucharadita de sal y un poco de pimienta. Divida la lechuga uniformemente entre platos individuales. Cubra cada porción con frijoles negros, camarones y rebanadas de aguacate dividiendo cada ingrediente uniformemente. Rocíe cada ensalada con aproximadamente 2 cucharadas del aderezo y espolvoree con una cucharada del cilantro restante. Sirva de inmediato.

En esta ensalada, los chiles chipotle ahumados de lata (chiles jalapeño rojos ahumados) avivan el aderezo cremoso, cítrico y con sabor a cilantro, mientras que la ácida salsa de adobo que cubre a los chiles sazona los demás ingredientes de la ensalada. Los camarones adquieren un sabor tostado en el asador que acentúa el sabor ahumado profundo del aderezo. Los aguacates y los frijoles negros proporcionan una suave suntuosidad a la mezcla.

invierno

arúgula con naranjas, almendras marcona y queso pecorino

naranjas, 4

miel de abeja, ½ cucharadita

sal de mar y pimienta negra recién molida

aceite de oliva extra virgen, 2 cucharadas

almendras marcona, ¾ taza, toscamente picadas

arúgula miniatura, 150 g (⅓ lb)

queso parmesano pecorino romano, 200 g (½ lb)

RINDE DE 4 A 6 PORCIONES

Trabajando con una naranja a la vez y usando un cuchillo delgado, corte una rebanada delgada de la parte superior e inferior de la naranja. Sostenga la fruta sobre una de sus puntas rebanadas y, trabajando de arriba hacia abajo, retire la cáscara y la piel de color blanco en tiras anchas siguiendo el contorno de la fruta. Trabajando sobre un tazón pase el cuchillo a lo largo de ambos lados de cada gajo para retirar la membrana, capturando los gajos y el jugo en el tazón. Repita la operación con las naranjas restantes y exprima las membranas de los gajos para extraer todo el jugo posible.

Mida 3 ½ cucharadas del jugo de naranja y coloque en un tazón pequeño (reserve el resto para otro uso). Integre la miel de abeja, ⅛ cucharadita de sal y un poco de pimienta. Incorpore lentamente el aceite de oliva batiendo con un batidor globo hasta integrar por completo para hacer un aderezo. Pruebe y rectifique la sazón.

En un tazón pequeño mezcle las almendras con ¼ cucharadita de sal. Coloque la arúgula en un tazón grande. Bata el aderezo para reintegrar, rocíelo sobre la arúgula y mezcle para integrar por completo. Pruebe y rectifique la sazón. Divida la arúgula aderezada uniformemente entre platos individuales, colocándola en el centro de cada plato. Cubra cada ensalada con los gajos de naranja dividiéndolos uniformemente y espolvoree las naranjas muy ligeramente con sal. Esparza las almendras sobre las ensaladas dividiéndolas uniformemente. Usando un pelador de verduras ralle el queso sobre las ensaladas dividiéndolo uniformemente. Sirva de inmediato.

Grandes, planas y con un rico e increíble sabor tostado, las almendras marcona españolas proporcionan una textura crujiente a esta ensalada de brillantes naranjas y queso salado y fuerte. El apimentado aceite de oliva extra virgen proporciona un delicioso sabor que complementa los contrastantes sabores.

ensalada de pomelo a las especias con limón, menta y albahaca

El jugo de limón proporciona una brillante acidez a esta ensalada estilo del sur de Asia, una interacción de sabores dulces, salados, ácidos y sazonados. El abrazador sabor de los pomelos, similar a la toronja, es lo que más destaca, acentuando su frescura cítrica con aromática menta y albahaca. Si no encuentra pomelos, puede sustituir por toronjas blancas.

En un tazón pequeño de material no reactivo mezcle el vinagre con el jugo de limón, azúcar mascabado, salsa de pescado, salsa *sriracha*, chalote y chile hasta que el azúcar se disuelva. Integre lentamente el aceite de canola batiendo con un batidor globo hasta incorporar por completo y hacer un aderezo. Pruebe y rectifique la sazón.

Trabajando con un pomelo a la vez y usando un cuchillo delgado, corte una rebanada delgada de la parte superior e inferior del pomelo. Sostenga la fruta sobre una de sus puntas rebanadas y, trabajando de arriba hacia abajo, retire la cáscara y la piel de color blanco en tiras anchas siguiendo el contorno de la fruta. Trabajando sobre un tazón, pase el cuchillo a lo largo de ambos lados de cada gajo para retirar la membrana, capturando los gajos en el tazón.

Jale y retire las hojas marchitas del exterior de la col. Parta longitudinalmente a la mitad y deseche el corazón duro de cada mitad. Corte cada mitad transversalmente en rebanadas delgadas.

En un tazón pequeño mezcle los cacahuates con ¼ cucharadita de sal. En un tazón grande mezcle la col con las zanahorias, menta, albahaca y 2 pizcas de sal. Bata el aderezo para reintegrar, rócielo sobre la mezcla de col y zanahoria y mezcle para incorporar por completo. Pruebe y rectifique la sazón. Divida la mezcla de col y zanahoria uniformemente entre platos individuales y cubra cada ensalada con los gajos de pomelo dividiéndolos uniformemente. Espolvoree los gajos de pomelos de cada ensalada ligeramente con sal y pimienta y esparza los cacahuates sobre las ensaladas. Sirva de inmediato.

vinagre de arroz, 2 cucharadas

jugo de limón amarillo fresco, 1 ½ cucharada

azúcar mascabado claro, 1 ½ cucharadita compacta

salsa de pescado asiática, 1 ¾ cucharadita

salsa sriracha, ½ cucharadita

chalote, 1 pequeño

chile jalapeño, ¼ cucharadita, finamente picado

aceite de canola, 3 cucharadas

pomelos o toronjas blancas, 3

col napa, 1 cabeza

cacahuates asados, ¾ taza, toscamente picados

sal de mar y pimienta negra recién molida

zanahorias, 3 grandes, sin piel y ralladas

menta fresca, ½ taza, picada

albahaca fresca, ½ taza, picada

RINDE 6 PORCIONES

Las nueces acarameladas son irresistibles, su textura crujiente la adquieren en el horno y su sabor amargo es tamizado con una espolvoreada de azúcar. Proporcionan una rica e indulgente calidad a una ensalada que incluye un trío de elementos ácidos: manzanas, queso de cabra y un aderezo alimonado.

ensalada de manzana con nueces acarameladas y aderezo de limón asado

limones amarillos, 3, partidos a la mitad

aceite de oliva extra virgen, ¼ taza más 2 cucharaditas

clara de huevo grande, 1

nueces de Castilla en mitades y trozos, 1 taza

azúcar mascabado claro, 2 cucharadas compactas

canela molida, ¼ cucharadita

sal de mar y pimienta recién molida

azúcar granulada, 1 ½ cucharada más 1 cucharadita

manzanas granny smith, 3

lechuga de hoja verde, 1 cabeza, sus hojas troceadas del tamaño de un bocado

queso de cabra fresco, 1 barra (255 g/9 oz), desmoronado

RINDE 6 PORCIONES

Precaliente el horno a 200°C (400°F). Coloque las mitades de limón sobre una charola para hornear con borde y rocíe uniformemente con las 2 cucharaditas de aceite de oliva. Ase alrededor de 20 minutos, hasta que estén muy suaves. Retire del horno y reduzca la temperatura a 175°C (350°F). Cuando las mitades de limón estén lo suficientemente frías para poder tocarlas, exprima ¼ taza de jugo y reserve.

Enjuague y seque la charola para hornear y cubra con papel aluminio. En un tazón bata la clara de huevo brevemente para aflojarla y deseche la mitad de ella. Agregue las nueces, azúcar mascabado, canela, ¼ cucharadita de sal y un poco de pimienta al tazón con la clara de huevo y mezcle para cubrir las nueces uniformemente. Extienda las nueces cubiertas sobre la charola para hornear preparada. Hornee alrededor de 20 minutos, hasta que estén secas y aromáticas, moviendo una vez a la mitad del cocimiento.

En cuanto las nueces estén listas, coloque 1 ½ cucharada de azúcar granulada en un tazón, agregue las nueces calientes y mezcle para cubrir. Pase las nueces a un colador para retirar el exceso de azúcar. Deje enfriar a temperatura ambiente.

En un tazón pequeño de material no reactivo bata con un batidor globo el jugo de limón asado con la cucharadita restante de azúcar granulada, ¼ cucharadita de sal y un poco de pimienta hasta que el azúcar se disuelva. Integre lentamente ¼ taza de aceite de oliva batiendo hasta incorporar por completo para hacer un aderezo. Pruebe y rectifique la sazón.

Parta las manzanas en cuartos y descorazone. Corte longitudinalmente en rebanadas delgadas.

En un tazón grande mezcle la lechuga con 2 pizcas de sal y un poco de pimienta. Bata el aderezo para reintegrar, rocíe aproximadamente la mitad del aderezo sobre la lechuga y mezcle para incorporar por completo (reserve el aderezo restante para otro uso). Pruebe y rectifique la sazón. Divida la lechuga aderezada uniformemente entre platos individuales. Cubra con las rebanadas de manzana y el queso dividiéndolos uniformemente y espolvoree ligeramente con sal y pimienta. Esparza las nueces caramelizadas sobre la ensalada y sirva de inmediato.

Las nueces amantequilladas y amargas son un clásico acompañamiento para las manzanas crujientes. En esta receta van caramelizadas, proporcionándoles una capa dulce y crujiente al queso de cabra y al aderezo ligeramente ácido. Al asar los limones se tempera su acidez dando como resultado un sabor cítrico más suave pero más concentrado.

hortalizas amargas con frutas secas y pan tostado con queso gruyère

En esta receta la miel de abeja agrega un acento floral a la vinagreta, sacando el sabor afrutado de los chabacanos, higos y cerezas secos que cubren las hortalizas. La endibia amarga y la escarola equilibran los elementos dulces mientras que el queso gruyère, derretido sobre rebanadas de baguette crujiente, ofrece su particular sabor anuezado y ligeramente fuerte.

Precaliente el horno a 200°C (400°F).

Llene una olla pequeña con tres cuartas partes de agua y hierva sobre fuego alto. En un tazón refractario mezcle los chabacanos con los higos y las cerezas. Vierta el agua hirviendo sobre la fruta sólo hasta cubrir y deje reposar de 3 a 4 minutos, hasta que las frutas estén suaves pero no pegajosas. Escurra y reserve.

Corte la baguette longitudinalmente a la mitad y corte cada mitad transversalmente en 6 rebanadas diagonales, cada una de aproximadamente 6 cm (2 ½ in) de ancho. Acomode las rebanadas con la cara cortada hacia arriba sobre una charola para hornear con borde, barnice uniformemente las partes superiores con 3 cucharadas del aceite de oliva y espolvoree ligeramente con sal. Hornee alrededor de 10 minutos, hasta que estén ligeramente doradas y crujientes. Retire del horno y cubra con el queso gruyère dividiéndolo uniformemente. Vuelva a colocar en el horno y hornee alrededor de 5 minutos, hasta que el queso se derrita.

Mientras tanto, en un tazón pequeño de material no reactivo bata con un batidor globo el jugo de naranja con el vinagre, miel, chalote, ⅛ cucharadita de sal y un poco de pimienta. Integre lentamente las 2 cucharadas restantes de aceite de oliva batiendo hasta incorporar por completo para hacer un aderezo. Pruebe y rectifique la sazón.

En un tazón grande mezcle la endibia con la escarola, ¼ cucharadita de sal y un poco de pimienta. Bata el aderezo para reintegrar, rocíe sobre las hortalizas aderezadas y mezcle hasta incorporar por completo. Pruebe y rectifique la sazón. Divida las hortalizas aderezadas uniformemente entre platos individuales. Cubra con las frutas secas suavizadas dividiéndolas uniformemente. Coloque 2 panes tostados con queso gruyère calientes sobre cada plato y sirva de inmediato.

chabacanos secos, ½ taza compacta, partidos en dados

higos misión secos, ½ taza compacta, sin tallos y partidos en dados

cerezas secas, ½ taza compacta

baguette, 1

aceite de oliva extra virgen, 5 cucharadas

sal de mar y pimienta recién molida

queso gruyère, 150 g (⅓ lb), rallado

jugo de naranja fresco, ¼ taza

vinagre de champaña, 2 cucharaditas

miel de abeja, 1 ½ cucharadita

chalote, 1 pequeño, finamente picado

endibia (frisée), 1 cabeza pequeña, sus hojas troceadas del tamaño de un bocado

escarola, ½ taza, sus hojas troceadas del tamaño de un bocado

RINDE 6 PORCIONES

Los ostiones fritos a la sartén son ingredientes insólitos en las ensaladas, pero no cuando se combinan con lechuga orejona recién comprada en el mercado y achicoria y van cubiertos con un aderezo cremoso infundido con cebollín. Sus sabores son ricos pero frescos y las crujientes texturas son atractivas.

hortalizas de invierno y ostiones fritos con aderezo de crema ácida y cebollín

harina de trigo, 1 taza

huevos grandes, 2

cornmeal amarillo o polenta, 1 ½ taza

pimienta de cayena, ¼ cucharadita

sal de mar y pimienta recién molida

ostiones sin su concha, 24, escurridos y bien limpios

crema ácida, ½ taza

buttermilk o yogurt, ¼ taza

cebollín fresco, ¼ taza, finamente picado

jugo de limón fresco, 1 ½ cucharadita

mostaza dijon, ½ cucharadita

azúcar, ½ cucharadita

aceite de canola, ¼ taza

lechuga orejona, 1 cabeza pequeña, finamente rebanada

achicoria (radicchio), 1 cabeza pequeña, finamente rebanada

RINDE 6 PORCIONES

Coloque la harina en un tazón poco profundo. En otro tazón poco profundo bata los huevos hasta integrar por completo. En un tercer tazón mezcle el cornmeal con la pimienta de cayena, ½ cucharadita de sal y ¼ cucharadita de pimienta. Trabajando con un ostión a la vez, sumerja los ostiones primero en la harina, cubriéndolos uniformemente y sacudiendo el exceso, posteriormente en los huevos permitiendo que el exceso de huevo se escurra y, por último, en el cornmeal sazonado cubriéndolos uniformemente y sacudiendo el exceso. Coloque los ostiones cubiertos sobre un plato grande y refrigere durante 30 minutos.

Mientras tanto, en un procesador de alimentos mezcle la crema ácida con el buttermilk, cebollín, jugo de limón, mostaza, azúcar, ½ cucharadita rasa de sal y un poco de pimienta; procese alrededor de 15 segundos, hasta que se forme un aderezo cremoso. Pruebe y rectifique la sazón. Reserve.

Retire los ostiones cubiertos del refrigerador y deje reposar a temperatura ambiente durante 20 minutos. En una sartén grande, de preferencia antiadherente, sobre fuego medio-alto caliente el aceite de canola hasta que esté caliente pero no humee. Trabajando en tandas para evitar amontonamiento, agregue los ostiones a la sartén y cocine alrededor de 2 minutos de cada lado, volteando una sola vez, hasta que se doren y estén ligeramente crujientes. Usando una cuchara ranurada pase a un plato cubierto con toallas de papel y escurra. Cuando todos los ostiones estén cocidos, espolvoree ligeramente con sal y cubra holgadamente con papel aluminio para mantenerlos calientes.

En un tazón grande mezcle la lechuga orejona con la achicoria, ¼ cucharadita de sal y un poco de pimienta Divida las hortalizas uniformemente entre platos individuales. Divida los ostiones fritos uniformemente entre las ensaladas y rocíe cada porción con aproximadamente 2 cucharadas del aderezo. Sirva de inmediato.

En esta receta, el cebollín fresco infunde a un aderezo ácido de crema con su dulce sabor, similar al de la cebolla. La frescura cremosa del aderezo presenta una cubierta perfecta para el cornmeal con pimienta de cayena que cubre a los salados ostiones fritos. Una cama de lechuga orejona y achicoria ofrece una textura crujiente adicional y un color fresco.

ensalada de apio nabo y manzana al curry con uvas pasas doradas

El sabor a especias y el tono dorado del curry en polvo anima a esta sencilla ensalada similar a la ensalada de col, mientras que le agrega un toque de sabor exótico. El curry acentúa el sabor terreno del apio nabo al complementar la dulzura de las manzanas y las uvas pasas.

Usando un cuchillo pequeño y filoso retire y deseche la piel del apio nabo. Ralle el nabo sobre los orificios grandes de un rallador manual.

Parta las manzanas a la mitad, descorazone y corte en tiras delgadas. Espolvoree con ½ cucharadita de jugo de limón para evitar que se oscurezcan.

En un tazón pequeño mezcle las almendras con una pizca de sal. En un tazón grande de material no reactivo bata la mayonesa con 1 ½ cucharadita de jugo de limón, miel de abeja, curry en polvo, ½ cucharadita rasa de sal y ¼ cucharadita de pimienta. Integre las almendras, apio nabo, manzanas, uvas pasas y perejil, si lo usa, mezclando hasta incorporar. Pruebe y rectifique la sazón. Pase a un tazón de servicio y sirva de inmediato.

apio nabo, 1
(aproximadamente 340 g/
¾ lb)

manzanas granny smith, 2

jugo de limón fresco, 2
cucharaditas

almendras en hojuelas, 6
cucharadas, tostadas
(página 145)

sal de mar y pimienta
recién molida

mayonesa, ½ taza más
1 ½ cucharada

miel de abeja, 1 ½
cucharadita

curry en polvo, 1 ⅛
cucharadita

uvas pasas doradas, 6
cucharadas

perejil liso fresco, 2
cucharadas, toscamente
picado (opcional)

RINDE 6 PORCIONES

ensalada caliente de lenteja y col rizada con tocino

zanahorias, 6 pequeñas, sin piel y cortadas en dados pequeños

aceite de oliva extra virgen, 4 cucharadas

sal de mar y pimienta recién molida

cebolla morada, 1 grande, finamente rebanada

col rizada, 1 manojo grande

ajo, 4 dientes grandes

tomillo fresco, 10 ramas

lentejas cafés, 1 taza, limpias y enjugadas

caldo de pollo, 4 tazas

tocino, 6 rebanadas

vinagre de jerez, 1 cucharadita

RINDE 6 PORCIONES

Precaliente el horno a 200°C (400°F). Cubra con papel aluminio una charola para hornear con borde. Distribuya las zanahorias uniformemente sobre la charola preparada, rocíe con 2 cucharadas del aceite de oliva, espolvoree con ¾ cucharadita de sal y ¼ cucharadita de pimienta y mezcle para cubrir uniformemente. Ase alrededor de 15 minutos, moviendo una o dos veces, hasta que estén suaves. Deje enfriar a temperatura ambiente.

Mientras tanto, en una sartén antiadherente sobre fuego medio caliente las 2 cucharadas restantes de aceite de oliva. Agregue la cebolla, ¼ cucharadita de sal y un poco de pimienta; saltee alrededor de 15 minutos, hasta que la cebolla esté suave y ligeramente caramelizada. Reserve.

Coloque una olla con dos terceras partes de agua sobre fuego alto y lleve a ebullición. Retire y deseche los tallos de la col rizada y rebane las hojas finamente. Agregue una cucharada de sal y las hojas de col rizada al agua hirviendo y cocine alrededor de 6 minutos, hasta que esté suave. Escurra en un colador. Reserve la olla.

Coloque el ajo y el tomillo en un cuadro de manta de cielo, junte las puntas y ate con cordón de cocina. En la misma olla que usó para cocinar la col rizada mezcle las lentejas con el caldo, ½ cucharadita de sal, ¼ cucharadita de pimienta y la bolsa de manta de cielo y lleve a ebullición sobre fuego alto. Cuando suelte el hervor reduzca el fuego a medio y hierva lentamente, sin tapar, entre 15 y 20 minutos, hasta que las lentejas estén suaves pero no pegajosas. Mientras se cocinan las lentejas cocine el tocino en una sartén grande sobre fuego medio alrededor de 7 minutos, volteando una vez, hasta que esté dorado y crujiente. Pase a un plato cubierto con toallas de papel y escurra. Deje enfriar y pique toscamente.

Escurra las lentejas en un colador, deseche la bolsa y vuelva a colocar las lentejas en la olla. Integre la col rizada cocida, el vinagre y ½ cucharadita de sal. Pruebe y rectifique la sazón. Pase la mezcla de lentejas a un tazón de servicio. Cubra con la cebolla salteada, zanahorias asadas y tocino. Sirva de inmediato.

El aromático y exuberante tomillo combina maravillosamente con los sustanciosos sabores de los ingredientes invernales. En esta receta sazona a las lentejas cafés, que resaltan en esta ensalada que presenta una miríada de sabores, texturas y colores. El tocino crujiente corona las capas de lentejas, zanahorias asadas, cebollas salteadas y col rizada.

En esta llamativa ensalada, la audacia es el ingrediente clave. La toronja ácida es un contrapunto vigorizante para el profundo y distintivo sabor de los betabeles asados. Agregue queso azul fuerte, endibia amarga y estragón con aroma de orozuz para obtener una mezcla sorpresivamente armoniosa de sabores.

ensalada de **betabel asado** con queso azul, toronja y estragón

betabeles, 3 grandes, de varios colores, sin tallos

toronjas rojas, 3 grandes

vinagre de frambuesa o vino tinto, 1 cucharada

miel de abeja, 1 cucharadita

sal de mar y pimienta recién molida

aceite de oliva extra virgen, ¼ taza

endibia (frisée), 2 cabezas, troceadas del tamaño de un bocado

queso azul como el maytag, 170 g (6 oz), desmoronado

estragón fresco, 2 ½ cucharadas, picado

RINDE 6 PORCIONES

Precaliente el horno a 200°C (400°F).

Envuelva los betabeles en papel aluminio y coloque sobre una charola para hornear con borde. Ase alrededor de una hora y 10 minutos, hasta que se sientan suaves al picarlos con un cuchillo filoso. Retire del horno y desenvuelva. Cuando estén lo suficientemente fríos para poder tocarlos, retire y deseche las pieles. Corte los betabeles transversalmente en rebanadas de aproximadamente ½ cm (¼ in) de grueso y corte cada rebanada en cuartos.

Trabajando con una toronja a la vez y usando un cuchillo delgado, corte una rebanada delgada de la parte superior e inferior de la toronja. Sostenga la fruta sobre una de sus puntas rebanadas y, trabajando de arriba hacia abajo, retire la cáscara y la piel de color blanco en tiras anchas siguiendo el contorno de la fruta. Trabajando sobre un tazón, pase el cuchillo a lo largo de ambos lados de cada gajo para retirar la membrana capturando los gajos y el jugo en el tazón. Repita la operación con las toronjas restantes y exprima las membranas para extraer todo el jugo posible.

Mida ⅓ taza del jugo de toronja y coloque en un tazón pequeño de material no reactivo (reserve el resto para otro uso). Integre el vinagre, miel de abeja, ¼ cucharadita de sal y un poco de pimienta. Integre lentamente el aceite de oliva batiendo con un batidor globo hasta incorporar por completo para hacer un aderezo. Pruebe y rectifique la sazón.

En un tazón grande mezcle la endibia con ¼ cucharadita de sal y un poco de pimienta. Bata el aderezo para reintegrar, rocíe una cuarta parte sobre la endibia y mezcle para incorporar por completo. Pruebe y rectifique la sazón. Divida la endibia aderezada uniformemente entre platos individuales colocándola en el centro del plato. Cubra cada ensalada con los gajos de toronja y los betabeles, dividiendo ambos uniformemente. Sazone ligeramente las toronjas y los betabeles con sal y pimienta. Rocíe cada ensalada con aproximadamente una cucharadita del aderezo restante (reserve el resto para otro uso) y espolvoree las ensaladas uniformemente con el queso azul y estragón. Sirva de inmediato.

El dulce sabor a orozuz del estragón combina de maravilla con los betabeles, cuya intensidad natural y perfil dulce se intensifica al asarlos. El queso azul agrega un sabor salado y una deliciosa textura cremosa que se compensa con la acidez y suave sabor amargo de la toronja roja de invierno.

ensalada de cangrejo al limón con mango fresco

Ralle finamente la piel de un limón. Parta ambos limones a la mitad y exprima las mitades para obtener 5 cucharadas de jugo.

En un tazón de material no reactivo mezcle la carne de cangrejo con la mayonesa, ralladura de limón, 4 cucharadas del jugo de limón, ¾ cucharadita de sal y ½ cucharadita de pimienta; mezcle suavemente para integrar. Pruebe y rectifique la sazón.

En un tazón pequeño de material no reactivo bata con un batidor globo la cucharada restante de jugo de limón con el azúcar, ⅛ cucharadita de sal y un poco de pimienta hasta que el azúcar se disuelva. Integre lentamente el aceite de oliva batiendo hasta incorporar por completo para hacer un aderezo. Pruebe y rectifique la sazón.

Retire la piel de los mangos y corte la pulpa en trozos de aproximadamente 4 cm (1 ½ in) de largo y ½ cm (¼ in) de grueso (página 145). No se preocupe si los trozos de mango están disparejos o de forma irregular.

En un tazón grande mezcle la lechuga con una pizca de sal y un poco de pimienta. Bata el aderezo para reintegrar, rocíe sobre la lechuga y mezcle hasta integrar. Pruebe y rectifique la sazón. Divida la lechuga aderezada uniformemente entre platos individuales acomodándola en un montículo en el centro de los platos. Coloque una cucharada de la mezcla de cangrejo sobre cada montículo de lechuga, dividiéndolo uniformemente. Reparta los trozos de mango alrededor del cangrejo y espolvoree con las cebollitas de cambray. Sirva de inmediato.

limones meyer, 2

carne de cangrejo en trozo, 700 g (1 ½ lb), limpio

mayonesa, ¾ taza

sal de mar y pimienta recién molida

azúcar, ½ cucharadita

aceite de oliva extra virgen, 2 cucharadas

mangos, 2

lechuga de hoja morada, 1 grande, sus hojas troceadas del tamaño de un bocado

cebollitas de cambray, 4, sus partes blancas y de color verde claro, finamente rebanadas

RINDE 6 PORCIONES

ensalada de pollo crujiente y col con aderezo de cacahuate

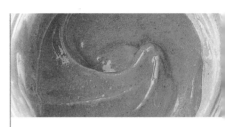

harina de trigo, 1/2 taza

huevo grande, 1

migas de pan panko, 1 taza

sal de mar y pimienta recién molida

pechugas de pollo sin hueso ni piel, 3 mitades (aproximadamente 700 g/1 1/2 lb en total)

col napa, 1 cabeza

aceite de canola, 1/3 taza

lechuga de hoja verde, 12 hojas

zanahorias, 3 grandes, sin piel y ralladas

aderezo de cacahuate (página 144)

semillas de ajonjolí, 2 cucharadas, tostadas (página 145)

RINDE 6 PORCIONES

Coloque la harina en un tazón poco profundo. En otro tazón poco profundo bata el huevo hasta integrar. En un tercer tazón poco profundo mezcle el pan *panko* con ½ cucharadita de sal y un poco de pimienta. Espolvoree las pechugas de pollo por ambos lados con sal y pimienta. Trabajando con una pechuga a la vez, sumerja las pechugas primero en la harina, cubriendo uniformemente y sacudiendo el exceso, después en el huevo, permitiendo que el exceso se escurra y, por último, en el panko sazonado, cubriéndolas uniformemente y sacudiendo el exceso. Coloque sobre un plato grande y refrigere durante 30 minutos.

Jale y deseche las hojas marchitas de la col, parta longitudinalmente a la mitad y deseche el corazón duro de cada mitad. Corte cada mitad transversalmente en rebanadas delgadas.

Precaliente el horno a 175°C (350°F). En una sartén antiadherente grande sobre fuego medio-alto caliente el aceite de canola hasta que esté muy caliente pero no humee. Agregue las pechugas de pollo empanizadas y cocine por el primer lado alrededor de 4 minutos, hasta dorar. Voltee y cocine por el segundo lado alrededor de 2 minutos más, hasta dorar. Pase a una charola para hornear con borde y hornee entre 15 y 20 minutos, hasta que un termómetro de lectura instantánea insertado en la parte más gruesa de la pechuga registre 70°C (165°F). Retire del horno, espolvoree ligeramente con sal y cubra holgadamente con papel aluminio.

En un tazón grande mezcle la lechuga con 2 pizcas grandes de sal y un poco de pimienta. Cubra cada plato individual con 2 hojas de lechuga. En el mismo tazón, mezcle la col y las zanahorias con 2 pizcas grandes de sal y un poco de pimienta. Rocíe con aproximadamente una tercera parte del aderezo y mezcle hasta integrar por completo.

Corte las pechugas de pollo transversalmente en rebanadas delgadas. Cubra las hojas de lechuga con la mezcla de col con zanahoria y agregue las rebanadas de pollo dividiendo ambos ingredientes uniformemente. Rocíe el pollo con el aderezo restante dividiéndolo uniformemente. Espolvoree con las semillas de ajonjolí y sirva de inmediato.

En esta receta de inspiración asiática, el sabor asado y anuezado de la crema de cacahuate natural es el elemento principal del aderezo salado y dulce. Las semillas de ajonjolí resaltan el sabor natural de la crema de cacahuate y las notas tostadas del pan dorado del pollo. Las texturas crujientes y crocantes en esta ensalada que se usa como plato principal le proporcionan una maravillosa presentación.

Apimentado, afrutado o amantequillado, el aceite de oliva extra virgen proporciona riqueza. En esta receta el aceite de oliva realza las notas dulces, anuezadas y herbales en una ensalada de bulgur rellena de verduras y frutas reuniendo una multitud de sabores y haciendo que este platillo sea completo, claro y brillante.

ensalada de bulgur con pimientos asados, garbanzos y pistaches

trigo bulgur molido medio, 1 ½ taza

caldo de pollo, 2 ¼ tazas

jugo de limón amarillo fresco, ¼ taza

melaza de granada roja, ¼ taza

azúcar, 2 cucharaditas

sal de mar y pimienta recién molida

aceite de oliva extra virgen, 6 cucharadas

garbanzos, 1 lata (440 g/ 15 ½ oz) escurridos y enjuagados

pimientos rojos, 2 grandes

pistaches asados sin cáscara, ¾ taza, tostados (página 145)

perejil liso, cilantro o menta fresca, ½ taza, picado

arándanos secos endulzados o cerezas dulces secas, 1 taza

yogurt natural, 2 tazas (opcional)

RINDE 6 PORCIONES

Coloque el bulgur en un tazón refractario. En una olla pequeña sobre fuego alto hierva el caldo. Vierta el caldo sobre el bulgur, tape y deje reposar alrededor de 30 minutos, hasta que el líquido se haya absorbido.

Mientras tanto, en un tazón pequeño de material no reactivo bata con un batidor globo el jugo de limón con la melaza de granada roja, azúcar, 1 ½ cucharadita de sal y un poco de pimienta, hasta que el azúcar se disuelva. Integre lentamente el aceite de oliva batiendo hasta integrar por completo para hacer un aderezo. Pruebe y rectifique la sazón.

En un tazón pequeño mezcle los garbanzos con ½ cucharadita de sal. Bata el aderezo para reintegrar y agréguelo, junto con los garbanzos, al tazón con el bulgur y mezcle. Tape y refrigere durante 2 horas.

Mientras tanto, precaliente el asador de su horno. Coloque los pimientos sobre una charola para asar pequeña sin borde, coloque debajo del asador y ase alrededor de 10 minutos, volteando ocasionalmente, hasta que las pieles se quemen. Pase a un tazón, tape y deje cocer al vapor durante 15 minutos. Retire y deseche las pieles, tallos y semillas y corte la pulpa en dados pequeños.

Cuando esté listo para servir, mezcle en un tazón pequeño los pistaches con una pizca de sal. Agregue los pistaches, pimientos en dados, perejil y arándanos al bulgur y mezcle hasta integrar por completo. Pruebe y rectifique la sazón. Divida la ensalada uniformemente entre platos o tazones individuales. Cubra cada porción con una cucharada de yogurt, si lo usa. Sirva de inmediato.

La melaza de granada roja, una especialidad del Medio Oriente, tiene toques afrutados y un sabor agridulce concentrado. En esta receta, su intensidad se combina con el jugo de limón y el aceite de oliva para crear un aderezo con un sabor completo. Los pimientos asados y las frutas secas agregan toques de color y sabor dulce, mientras que los pistaches tostados resaltan el sabor anuezado del trigo bulgur.

temas básicos

Las siguientes páginas ofrecen información fundamental sobre cómo preparar grandiosas ensaladas, así como una variedad de recetas básicas que complementan algunos de los platillos de este libro. También encontrará consejos y técnicas útiles para elegir y trabajar con muchos tipos de frutas, verduras y demás ingredientes que a menudo se usan en las recetas.

eligiendo una ensalada

Una ensalada puede ser muchas cosas. Puede ser una mezcla sencilla de hojas de lechuga compuestas con un aderezo de aceite y vinagre; puede ser una composición elaborada de hortalizas, frutas, nueces y queso; o puede ser un potpurrí de verduras y suaves granos cocidos sin incluir ninguna hortaliza verde. Una ensalada se puede servir como primer plato o botana; como sustancioso plato principal para una comida o cena; como guarnición o acompañamiento para una comida; o, como en algunas tradiciones europeas, se puede usar como un refrescante para el paladar después del plato principal.

Cuando decida qué tipo de ensalada quiere hacer, primero considere cuáles son los ingredientes de la temporada y trate de tomar ventaja de los ingredientes cultivados en la localidad ya que éstos seguramente sabrán mejor que los productos traídos desde tierras lejanas. Posteriormente, considere en qué momento de su comida usted desea servir la ensalada. Por ejemplo, como primer plato o botana, una ensalada de hortalizas verdes con muchos ingredientes como la Ensalada de Manzana con Nueces Acarameladas y Aderezo de Limón Asado (página 119) sería adecuada ya que si

no se ofrece un plato principal, la complejidad de la ensalada se puede apreciar ampliamente. Pero, para servirla como guarnición o cena familiar casual, una ensalada crujiente estilo casero como la Ensalada de Papa y Ejotes con Hierbas y Anchoas (página 70) es ideal. Por último, elija una ensalada con sabores que se adapten agradablemente a su menú. Por ejemplo, la Ensalada de Jícama y Mango con Aderezo de Cilantro (página 24) sería perfecta para una cena estilo mexicano, mientras que la Ensalada de Brócoli y Coliflor con Cebollas en Salmuera y Tocino (página 98) sería la adecuada para servirse en una comida al aire libre o día de campo.

lavando y secando hortalizas

En la tienda de abarrotes las cabezas de lechuga y los manojos de hortalizas a menudo son rociadas con agua para mantenerlas frescas y lozanas. Sin embargo, una vez que se cubren con una bolsa de plástico y se meten en el refrigerador, la humedad que han recopilado tiene un efecto nocivo: apresura el deterioro. En el mercado de granjeros las frutas y verduras, por lo general, no están sujetas al mismo tratamiento de humedad, pero las hortalizas cultivadas local y orgánicamente a menudo tienen mucha tierra y arena entre las

capas de hojas. No importa en donde compre las hortalizas para su ensalada, es mejor cuidarlas inmediatamente cuando las lleve a casa.

Una de las mejores maneras de lavar las hortalizas es llenar el fregadero limpio de su cocina o un tazón grande con agua fría. Jale suavemente las hojas de la cabeza o retire la base del manojo para separar los tallos. Deseche las hojas marchitas, dañadas o decoloradas. Sumerja las hortalizas en el agua y sacúdalas suavemente para retirar la suciedad. Deje que las hortalizas se remojen algunos minutos para que la arena se estanque en el fondo, retire las hortalizas del agua pasándolas a un colador grande o una toalla de cocina limpia. Séquelas, en tandas si fuera necesario, en un aparato para secar ensaladas o cúbralas holgadamente con una toalla de cocina, sacuda suavemente y mezcle hasta que estén lo más secas que sea posible.

almacenando hortalizas

en un aparato para secar ensalada Si tiene lugar en su refrigerador, un aparato para secar ensalada es un buen lugar para almacenar las hortalizas lavadas ya secas, ya que permite que las hortalizas respiren creando todo el tiempo un medio ambiente húmedo que evita que se sequen. Además, un aparato para secar ensaladas protege a las hortalizas delicadas para que no se aplasten con otros artículos en el refrigerador.

en una toalla de cocina Si no tiene un aparato para secar ensaladas, extienda una toalla de cocina limpia y distribuya las hortalizas lavadas sobre ella en una sola capa. Muy suave y holgadamente enrolle la toalla con las hortalizas en ella, como si fuera un niño envuelto, teniendo cuidado de no aplastarlas. Coloque el rollo en una bolsa de plástico grande o envuelva cuidadosamente en plástico adherente y refrigere.

preparando aderezos con base de aceite

con un batidor globo El método clásico para hacer un aderezo para ensalada con base de aceite es usando un batidor globo. El componente ácido, por lo general, vinagre o jugo de fruta, se agrega a un tazón junto con sal, pimienta y algunas veces azúcar. El aceite se agrega poco a poco mientras que se bate la mezcla constantemente. Este proceso ayuda a formar un aderezo bien incorporado, una emulsión estable que eventualmente se separará pero lo hará lentamente. Si el aderezo se separa mientras reposa, asegúrese de batir para reintegrar antes de usarlo.

en un frasco Un método muy sencillo y sin complicaciones para hacer un aderezo con base de aceite es simplemente agregar todos los ingredientes del aderezo al mismo tiempo a un frasco de vidrio con una tapa que cierre herméticamente. Cierre el frasco y agite vigorosamente hasta que se forme un aderezo bien incorporado. El inconveniente de esta técnica es que proporciona una emulsión más débil que hace que el aderezo se separe más rápidamente que si se hace batiendo con un batidor globo. Si se separa al reposar, asegúrese de agitarlo una vez más antes de usarlo.

sazonando ensaladas

Para obtener las mejores ensaladas es importante que cada ingrediente se sazone antes de armar el platillo. Después de hacer un aderezo, pruébelo y

rectifique la sazón con sal y pimienta, recordando que se desea un sazonador intenso. Sazonar las hortalizas, demás verduras, frutas y guarniciones como las nueces por separado, antes de armar el platillo, puede parecer muy complicado, pero estos pasos adicionales resaltan los sabores de los ingredientes individuales para que cuando se combinen la ensalada tenga un sabor complejo y completo.

aderezando ensaladas

Antes de aderezar las hortalizas para hacer una ensalada, asegúrese de que éstas estén lo más secas que sea posible. El exceso de agua residual colgando de las hojas diluirá el aderezo, haciendo que la ensalada quede débil y aguada.

Coloque las hortalizas en un tazón que parezca demasiado grande para la ensalada, de manera que tenga espacio suficiente para mezclarla con facilidad. Si usted usa un aderezo con base de aceite y si se separó mientras reposaba, bátalo bien con un batidor globo para reintegrar. Rocíe, pero no vierta el aderezo sobre las hortalizas en el tazón para que no se empapen demasiado y queden aguadas. Con un par de cucharas o tenazas para servir ensaladas, o incluso con sus manos, mezcle suavemente y esponje las hortalizas usando movimientos muy suaves hasta cubrirlas uniformemente. Asegúrese de llegar hasta la parte inferior del tazón en donde se deposita el aderezo, especialmente aquellos de textura delgada.

Las recetas de este libro recomiendan usar cantidades específicas de aderezo. Sin embargo, si prefiere que sus ensaladas queden ligeramente aderezadas, deberá empezar agregando una cantidad ligeramente menor y añadir más si lo

considera necesario. Si prefiere que su ensalada esté generosamente cubierta con aderezo, empiece con la cantidad recomendada y agregue más aderezo para que quede a su gusto.

En general, una vez que las hortalizas son aderezadas no se mantienen frescas, por lo que sugerimos aderezar únicamente la porción que piensa servir y almacenar las hortalizas y el aderezo sin usar por separado.

mezclando y combinando hortalizas y aderezos

Este libro está lleno de ideas para ensaladas completas, recetas que combinan ingredientes salados con aderezos y guarniciones para crear deliciosos platillos con elementos complementarios y contrastantes. Sin embargo, siéntase libre de mezclar y combinar los ingredientes para crear ensaladas originales que lleven su firma.

Cuando diseñe sus propias creaciones, tenga presente que las hortalizas delicadas como la mezcla de hortalizas tiernas y las hierbas de canónigo combinan mejor con aderezos ligeros con base de aceite. Las hortalizas firmes, como la lechuga orejona, lechuga mantequilla y col, pueden llevar un aderezo rico y cremoso. Trate de equilibrar los sabores: ácido, picoso y amargo con sabores suaves y moderados cuando mezcle ingredientes. Piense en la forma de combinar texturas crujientes y crocantes con ingredientes suaves y tiernos, así como ingredientes dulces con sazonados. Con una gran variedad de verduras, frutas, quesos, nueces, hierbas y granos a nuestra disposición, no existe límite alguno para crear maravillosas ensaladas.

pasta de lemograss y menta

2 tallos de lemongrass (té limón con bulbo)

½ taza de menta fresca, picada

2 cucharadas de jugo de limón fresco

2 cucharadas de aceite de canola

1 cucharadita de chile jalapeño, picado

2 dientes de ajo, finamente picados

¼ cucharadita de sal

⅛ cucharadita de pimienta recién molida

Usando un cuchillo para chef, corte y deseche la parte superior de los tallos de lemongrass en donde empiezan a estar duros. Retire y deseche la base dura y fibrosa. Jale y deseche las hojas exteriores de los tallos para dejar expuestos los interiores suaves de color verde claro. Rebane transversalmente los tallos en trozos delgados.

Pase el lemongrass rebanado a un procesador de alimentos y procese aproximadamente durante 10 segundos, hasta picar finamente. Agregue la menta, jugo de limón, aceite de canola, chile, ajo, sal y pimienta; procese alrededor de 10 segundos, hasta que se forme una pasta. Rinde aproximadamente ¾ taza.

marinada de páprika ahumada

½ taza de aceite de oliva extra virgen

⅓ taza de vinagre de jerez

2 cucharadas de jugo de naranja fresco

1 cucharada de páprika ahumada dulce española

5 dientes de ajo, finamente picados

1 ½ cucharada de hojas de orégano fresco

En un tazón de material no reactivo mezcle el aceite de oliva con el vinagre, jugo de naranja, páprika, ajo y orégano hasta integrar. Rinde aproximadamente una taza.

vinagreta de aceite de oliva y anchoas

2 cucharadas de aceitunas niçoise sin hueso, picadas

2 ó 3 filetes de anchoa en aceite

5 cucharadas de aceite de oliva extra virgen

3 cucharadas de vinagre de vino blanco

2 cucharadas de cebollín fresco, finamente picado

¾ cucharadita de azúcar

¼ cucharadita de mostaza dijon

En un procesador de alimentos mezcle las aceitunas con las anchoas y procese alrededor de 10 segundos, hasta obtener una mezcla tersa. Añada el aceite de oliva, vinagre, cebollín, azúcar y mostaza; procese alrededor de 10 segundos, hasta que se forme un aderezo terso. Rinde aproximadamente ¾ taza.

aderezo de cacahuate

¼ taza de crema de cacahuate natural cremosa

¼ taza de vinagre de arroz

¼ taza de aceite de canola

1 cucharada de aceite de ajonjolí

2 cucharadas compactas de azúcar mascabado

1 cucharadita de tamari reducido en sodio

¾ cucharadita de sal de mar

En un procesador de alimentos o licuadora mezcle la crema de cacahuate, vinagre, aceite de canola, aceite de ajonjolí, azúcar mascabado, tamari, sal y 2 cucharadas de agua; procese alrededor de 15 segundos hasta que se forme un aderezo terso. Pruebe y rectifique la sazón. Rinde aproximadamente ¾ taza.

miel de balsámico

1 taza de vinagre balsámico

En una olla pequeña de material no reactivo sobre fuego alto hierva el vinagre balsámico y cocine entre 10 y 12 minutos, hasta que esté espeso, tenga la consistencia de una miel y se haya reducido a aproximadamente ¼ taza. Deje enfriar a temperatura ambiente. Rinde aproximadamente ¼ taza.

huevos cocidos

6 huevos grandes

Coloque los huevos en una olla, agregue agua fría hasta cubrir por 5 cm (2 in) y lleve a ebullición sobre fuego medio.

Cuando el agua empiece a hervir, retire la olla del fuego, tape y deje reposar durante 20 minutos. Destape y enjuague los huevos debajo del chorro de agua fría, hasta enfriar. Rinde 6 huevos cocidos.

huevos poché

1 cucharada de vinagre blanco destilado

1 cucharadita de sal de mar

6 huevos grandes

Vierta agua hasta obtener una profundidad de aproximadamente 4 cm (1 ½ in) en una sartén grande. Agregue el vinagre y hierva vigorosamente sobre fuego medio-alto. Reduzca el fuego a medio o medio-bajo de manera que el agua continúe hirviendo lentamente.

Mientras tanto, llene un tazón grande y ancho con dos terceras partes de agua con hielo, agregue la sal y coloque sobre la estufa. Rompa un huevo en cada uno de 6 ramekins o refractarios individuales u otro recipiente refractario pequeño. Cuando el agua esté lista, detenga un ramekin cerca de la orilla de la sartén, resbale el huevo suavemente en el agua hirviendo. Repita la operación con los huevos restantes.

Cocine los huevos entre 2 y 3 minutos, hasta que las claras estén firmes y opacas pero las yemas aún estén suaves. Usando una cuchara ranurada, pase los huevos poché al agua con hielo y deje reposar durante un minuto. Usando la cuchara ranurada, saque los huevos del agua con hielo, uno a la vez, recorte la clara de huevo con tijeras de cocina para emparejar las orillas y reserve sobre un plato a temperatura ambiente hasta por una hora. Rinde 6 huevos poché.

tostando nueces y semillas

Al tostar nueces, éstas se doran ligeramente y obtienen una textura crujiente dándoles un sabor más rico y completo. Asegúrese de dejar enfriar las nueces tostadas antes de usarlas en una receta.

en el horno Esparza las nueces o semillas en una capa uniforme en un refractario o charola para hornear con borde. Tueste en el horno entre 160°C y 190°C (325°F y 375°F) de 5 a 10 minutos, dependiendo del tamaño y la cantidad de nueces o semillas, moviendo una o dos veces, hasta que aromaticen y estén ligeramente doradas.

sobre la estufa Extienda las nueces o semillas en una capa uniforme sobre una sartén. Tueste sobre fuego medio, moviendo o agitando la sartén a menudo, entre 2 y 5 minutos, dependiendo del tamaño y cantidad de las nueces o semillas, hasta que aromaticen y estén ligeramente doradas.

retirando el tallo y cáliz de las fresas

Retire el tallo y cáliz de las fresas después de lavarlas y justo antes de usarlas.

1 Inserte un cuchillo Inserte la punta de un cuchillo mondador filoso ligeramente inclinado justo por debajo de la zona del cáliz hasta que la punta del cuchillo llegue al centro de la fresa.

2 Retire el cáliz Corte alrededor del tallo rotando la fresa para hacer un corte circular. Jale o levante suavemente la parte superior.

trabajando con mangos

Busque mangos que se sientan pesados para su tamaño. Deben ser aromáticos y la pulpa se debe poder presionar suavemente. Si la fruta está verde, déjela madurar a temperatura ambiente durante varios días antes de usarla.

1 Retire la piel del mango Usando un pelador de verduras filoso retire la piel del mango.

2 Corte la parte superior Usando un cuchillo para chef o un cuchillo de cocina corte una rebanada delgada del extremo del tallo de la fruta.

3 Separe la pulpa del hueso Coloque el mango sobre el lado cortado. Corte hacia abajo a lo largo de uno de los lados planos de la fruta, aproximadamente a 1 cm (½ in) del centro, pasando

a un lado del hueso central. Repita la operación en el segundo lado plano del mango. Retire la pulpa que cuelgue del hueso en trozos grandes lo mejor que pueda.

4 Corte la pulpa en trozos más pequeños Corte la pulpa en dados o como lo indique la receta.

trabajando con piña

Cuando compre una piña, elija una que se sienta pesada para su tamaño y que tenga hojas de color verde brillante. También deberá tener un aroma frutal; un signo de que la fruta está madura, y no debe tener manchas ni golpes. Para retirar su cáscara gruesa y escamosa siga estos pasos:

1 Retire la parte superior e inferior Usando un cuchillo filoso para chef retire la parte superior e inferior de la fruta y coloque verticalmente sobre uno de sus lados cortados.

2 Retire la cáscara Trabajando de arriba hacia abajo rebane la cáscara en tiras anchas. Corte lo suficientemente adentro para retirar la mayor parte de sus ojos pero no demasiado de la pulpa.

3 Corte los ojos Usando la punta de un cuchillo mondador retire los ojos que hayan quedado.

pelando aguacates

Los aguacates llegan a los mercados cuando están aún bastante duros y verdes. Cuando los compre, busque aquellos que pueda presionar su pulpa ligeramente y déjelos madurar a temperatura ambiente durante algunos días, hasta que se puedan presionar con suavidad.

1 Corte el aguacate a la mitad Usando un cuchillo para chef corte el aguacate longitudinalmente a la mitad, cortándolo hasta el hueso y alrededor del mismo.

2 Separe las mitades Sujete el aguacate de manera que cada mitad quede en cada una de sus manos. Cuidadosamente rote las mitades en dirección opuesta para separarlas.

3 Retire el hueso Cuidadosamente, sujetando en una mano la mitad de aguacate con el hueso, golpee el hueso con la navaja del cuchillo hasta que ésta se entierre en el hueso. Gire el cuchillo y saque el hueso.

4 Pele el aguacate Retire cuidadosamente la cáscara gruesa, use un cuchillo mondador conforme sea necesario para separar la pulpa con facilidad.

trabajando con cítricos

La ralladura y jugo de los cítricos a menudo se usan en las ensaladas para aumentar el aroma y el sabor.

preparando ralladura Si una receta pide ralladura y jugo cítrico, prepare la ralladura de la fruta antes de extraer el jugo ya que siempre es más fácil extraer la ralladura cuando la fruta está entera. Para extraer la ralladura de cítrico use un rallador manual con raspas finas. Usando una presión ligera, mueva el cítrico hacia arriba y hacia abajo presionando contra las raspas del rallador, retirando sólo la ralladura con color y dejando la cubierta blanca, la cual tiene un sabor amargo, sobre la fruta. Para obtener tiras grandes, use un pelador de verduras filoso para retirar la cáscara en tiras largas y anchas trabajando de polo a polo.

exprimiendo jugo Para obtener la mayor cantidad de jugo posible de una fruta cítrica, trabaje con fruta a temperatura ambiente. Justo antes de exprimirla, ruédela hacia delante y hacia atrás sobre una superficie de trabajo presionando firmemente con la palma de su mano de manera que la fruta se suavice ligeramente. Corte la fruta a la mitad y use un exprimidor o un extractor de jugos para exprimir

cada mitad. Pase el jugo exprimido a través de un colador de malla fina colocado sobre un tazón o taza de medir para retirar las semillas o los trozos de pulpa.

rebanando hinojo

Busque hinojo con bulbos firmes, libres de magulladuras y con frondas de color verde brillante.

1 Recorte los tallos Usando un cuchillo para chef recorte los tallos. Si lo desea, reserve las frondas para usar como decoración.

2 Retire las partes descoloridas Pase un pelador de verduras filoso sobre las capas exteriores del bulbo para retirar las zonas duras o descoloridas. Si la capa exterior está muy magullada, retírela por completo y deseche.

3 Parta el bulbo en cuartos Usando un cuchillo para chef corte el bulbo longitudinalmente en cuartos, cortando a través del corazón del bulbo.

4 Retire el corazón Retire el corazón duro de cada cuarto.

5 Rebane cada cuarto Corte cada cuarto en rebanadas, ya sea longitudinal o transversalmente.

picando finamente chalotes

Los chalotes agregan un sabor suave, parecido al de la cebolla y el ajo, a muchos tipos de aderezos para ensalada. Cuando pique los chalotes finamente para hacer un aderezo, asegúrese de que los trozos sean muy delgados para que su textura se minimice.

1 Parta el chalote Usando un cuchillo mondador filoso parta el chalote longitudinalmente a través de la punta donde se encuentra la raíz. Posteriormente retire y deseche la punta del brote de cada mitad.

2 Retire la piel Use la navaja del cuchillo para separar la piel apapelada, jale y deseche la piel de cada mitad.

3 Haga una serie de cortes longitudinales Coloque una mitad, con la parte cortada hacia abajo, sobre una tabla para picar. Haga una serie de cortes longitudinales dejando muy poca separación entre ellos. No corte a través de la punta de la raíz ya que ésta ayuda a mantener las capas del chalote unidas.

4 Haga una serie de cortes horizontales Coloque la punta de la raíz de la mitad de chalote hacia su izquierda si usted es diestro o hacia su derecha si usted es zurdo. Con la navaja del cuchillo paralelamente sobre la tabla, haga una serie de cortes horizontales empezando en la punta del brote y deteniéndose muy cerca de la punta de la raíz.

5 Haga una serie de cortes transversales Empezando desde la punta del brote y trabajando hacia la punta de la raíz de la mitad del chalote, haga una serie de cortes transversales dejando muy poca separación entre ellos para hacer cortes finos. Repita del paso 3 al 5 con la otra mitad del chalote.

picando finamente chiles frescos

Cuando trabaje con chiles es recomendable usar guantes de hule para proteger sus manos del picor de los chiles. Si no usa guantes, asegúrese de lavar a conciencia sus manos cuando termine de trabajar con ellos.

1 Parta el chile longitudinalmente Usando un cuchillo mondador filoso retire y deseche la punta del tallo del chile. Parta el chile longitudinalmente en cuatro.

2 Retire las venas y semillas Usando un cuchillo mondador retire las semillas y venas del interior de cada cuarto de chile.

3 Rebane los cuartos de chile en tiras Usando un cuchillo filoso para chef corte cada cuarto longitudinalmente en tiras muy delgadas.

4 Pique finamente las tiras Forme un manojo con las tiras de chile y corte transversalmente en trozos muy delgados. Si fuera necesario, para picar aún más delgado reúna los trozos y balancee la navaja del cuchillo hacia delante y hacia atrás sobre las tiras hasta picarlas del tamaño deseado.

deshuesando aceitunas

Algunos tipos de aceitunas se venden ya sin hueso, pero algunas variedades especiales, incluyendo las curadas en aceite y las aceitunas niçoise que se usan en este libro, por lo general, se venden con hueso. Una forma de retirar los huesos es con un deshuesador de aceitunas pero un mazo para carnicero o un cuchillo para chef también funcionan.

1 Presione las aceitunas Coloque las aceitunas en una bolsa de plástico con cierre hermético, saque el aire y ciérrela. Usando un mazo para carnicero o un rodillo, presione las aceitunas suavemente para abrir la carne. O, si lo desea, presione las aceitunas con la parte plana de un cuchillo para chef.

2 Retire los huesos Saque de la bolsa las aceitunas ligeramente aplastadas y con sus dedos separe los huesos de la carne de la aceituna. Use un cuchillo mondador para separar los huesos de la carne de las aceitunas más pegadas.

retirando espinas de los filetes de salmón

Antes de cocinar filetes de pescado, asegúrese de revisar y retirar las espinas que pueden quedar en él.

1 Busque las espinas Coloque un filete de pescado con la piel (o sin ella) hacia abajo sobre una superficie de trabajo. Pase la yema de su dedo sobre el centro del filete. Si siente las puntas de diminutas espinas salidas, aún tiene espinas y debe retirarlas antes de cocinarlo.

2 Jale las espinas Usando unas tijeras para pescado o pinzas con punta de aguja, jale las espinas, una por una, sosteniendo la punta de cada una y jalando hacia arriba y hacia fuera ligeramente en diagonal al grano de la carne.

preparando un asador de carbón

Sobre la base para el fuego de un asador de carbón encienda en un encendedor grande para chimenea aproximadamente 1 kg (2 1/2 lb) de carbón y deje que los carbones se quemen hasta que estén cubiertos de ceniza blanca.

asando a fuego directo sobre calor alto Vacíe los carbones sobre la base del asador y acomódelos en una pila uniforme sobre una mitad de la base del asador, dejando la otra mitad sin carbones. Vuelva a colocar la parrilla en su lugar y barnice ligeramente con aceite para evitar que los alimentos se peguen. Cuando cocine, hágalo sobre el lado del asador en donde están los carbones.

asando a fuego directo sobre calor medio-alto Vacíe los carbones sobre la base del asador y extiéndalos en una capa uniforme sobre toda la base del asador y deje quemar alrededor de 20 ó 30 minutos, hasta que esté a temperatura media-alta. Vuelva a colocar la parrilla del asador en su lugar y barnice ligeramente con aceite para evitar que los alimentos se peguen.

preparando un asador de gas

Antes de usar un asador de gas propano, asegúrese de que haya suficiente gas en el tanque. Abra la tapa del asador, encienda el asador y encienda todos los quemadores a fuego alto. Cierre la cubierta y precaliente el asador durante 10 ó 20 minutos.

asando a fuego directo sobre calor alto Abra la cubierta del asador y deje los quemadores encendidos a fuego alto. Barnice ligeramente la parrilla del asador con aceite para evitar que los alimentos se peguen.

asando a fuego directo sobre calor medio-alto Abra la cubierta del asador y reduzca el fuego de los quemadores a fuego medio-alto. Barnice ligeramente la parrilla del asador con aceite para evitar que los alimentos se peguen.

ingredientes de temporada

Todas las frutas y verduras frescas tienen una temporada en la que se encuentran en su punto. La tabla de la derecha indica la temporada de la mayoría de los productos usados en este libro. Note que aunque algunas frutas y verduras están disponibles durante todo el año, tienen una temporada en la que son más sabrosas. Además, tenga presente que las temporadas a menudo varían dependiendo de las diferentes regiones de cultivo. Los puntos rellenos indican las temporadas principales; los puntos vacíos indican las temporadas de transición.

INGREDIENTES	PRIMAVERA	VERANO	OTOÑO	INVIERNO
manzanas			●	○
alcachofas miniatura	●		●	
peras asiáticas			●	●
espárragos	●			
habas verdes	●			
ejotes verdes		●		
betabeles	●	●	●	●
pimientos		●	●	
brócoli		●	●	●
calabaza butternut			●	●
coliflor		●	●	●
apio		●	●	○
apio nabo			●	○
chiles frescos		●	●	
maíz dulce		●		
pepinos		●		
berenjenas		●	○	
hinojo	●	●	●	●
higos		●	○	
toronja	○			●
uvas			●	●

INGREDIENTES	PRIMAVERA	VERANO	OTOÑO	INVIERNO
haricots verts		●		
jícama	●	●	●	●
col rizada			●	●
mangos	●	●	●	●
limón meyer	○			●
hongos silvestres			●	●
cebolla vidalia	●			
naranjas	●	●	●	●
pastinaca	○		●	●
duraznos		●		
peras			●	●
piña	●	●	●	●
pomelo			●	●
papas	●	●	●	●
papas cambray	●			
rábanos	●	●	●	
frambuesas	●	●		
fresas	●	●		
jitomates		●	○	
sandía		●		
calabacitas		●	○	

glosario

aceites Existe una amplia variedad de aceites disponible para los cocineros de la actualidad. Algunos son mejores para cocinar a fuego alto, otros para rociar sobre un platillo terminado como toque de sabor y otros más para usar en los aderezos para ensaladas.

canola Este aceite de sabor neutral es prensado de colza, un miembro de la familia de la planta de mostaza. Alto en grasas monoinsaturadas, es recomendado para la cocina en general. También tiene un alto punto de humeado y se puede usar para freír.

de ajonjolí El aceite de ajonjolí, prensado de semillas de ajonjolí blancas, es de color claro y tiene un ligero sabor a nuez. No lo confunda con aceite de ajonjolí asiático que se obtiene al prensar semillas de ajonjolí tostadas y tiene un color oscuro y un sabor fuerte y distintivo.

de nuez Prensado de nueces de Castilla, el aceite de nuez tiene un sabor y aroma a nuez. No se usa para cocinar debido a que pierde su sabor al calentarlo; a menudo se usa en aderezos para ensaladas o se rocía sobre platillos terminados.

de oliva extra virgen La primera prensada fría de aceitunas proporciona el aceite de oliva extra virgen, la variedad que tiene el menor nivel de ácido y el sabor más puro y completo que refleja en dónde han crecido las aceitunas.

aceitunas Un alimento básico de la cocina mediterránea, las aceitunas proporcionan un color y sabor atrevido a las ensaladas.

curadas en aceite Las aceitunas curadas en aceite son pequeñas, secas y tienen una apariencia rugosa y marchita. Su sabor es agradablemente amargo y su textura es sedosa y delicada.

niçoise Estas pequeñas aceitunas negras deben su nombre a la ciudad de Niza en la región de la Provenza en Francia. Las aceitunas niçoise no tienen demasiada carne pero tienen un rico, suculento y relativamente suave sabor a aceituna.

alcachofas miniatura Son los capullos de flor de una planta de la familia del cardo y son muy preciadas por su moderado sabor a nuez y suculenta y amantequillada textura. Contrario a lo que sugiere su nombre, las alcachofas miniatura no son alcachofas inmaduras sino los capullos pequeños que crecen en la parte inferior de la planta. Las alcachofas miniatura no tienen el corazón con hebras correosas que se tiene que retirar del centro de las alcachofas grandes.

alcaparras Son los capullos de flor de un arbusto nativo de la zona del Mediterráneo y generalmente se venden en salmuera. Las que se etiquetan como "nonpareils" del sur de Francia, son las más pequeñas y están consideradas como las mejores.

apio nabo También conocido como celeriac o raíz de apio, el apio nabo es una verdura redonda y anudada de otoño e invierno que proporciona un ligero sabor a apio al cocinarse y una textura crujiente a las ensaladas cuando se usa crudo.

atún El atún viene de una familia de pescados grandes con carne sabrosa, oleaginosa y firme. Cuando compre atún para preparaciones en las que el pescado vaya crudo o sólo parcialmente cocido, asegúrese de comprarlo de una fuente o pescadería confiable y acreditada. El atún debe ser firme, tener un color rojo oscuro translúcido y estar libre de aroma a pescado.

berro Este miembro de la familia de la mostaza tiene hojas de color verde oscuro sobre tallos delicados. El berro tiene un refrescante sabor apimentado que se hace más amargo con el paso del tiempo.

carne de cangrejo en trozo La carne que se obtiene de la porción carnosa cerca del centro del cangrejo se vende como carne de cangrejo en trozo. Los trozos son grandes, de color blanco y tienen un delicado sabor. A menudo se vende en pequeños recipientes en las pescaderías y en la sección de pescados y mariscos refrigerados de las tiendas de abarrotes bien surtidas.

cebada Esta variedad de trigo a veces también se conoce con el nombre de "farro". Es considerado como un ingrediente muy antiguo y en algún tiempo fue popular en las cocinas del Mediterráneo y Medio Oriente. Hoy en día se usa más a menudo en la cocina italiana. La textura saludable del grano cocido es bastante chiclosa y tiene un sabor anuezado.

cebollas vidalia Estas cebollas de piel delgada toman su nombre de la ciudad de Vidalia en Georgia, Estados Unidos, en donde se cultivan. Son jugosas, dulces y están disponibles en primavera. Fuera de esa temporada se pueden sustituir por otro tipo de cebolla dulce.

col napa También conocida como col china o col de apio, esta col alargada tiene hojas arrugadas de color amarillo verdoso claro y su corazón tiene una textura crujiente y color blanco aperlado.

cornichons Del vocablo francés que significa "pequeños cuernos", los cornichons son pepinos diminutos con un sabor ácido y salado. Se usan para proporcionar sabor a las salsas y son un acompañamiento tradicional para el paté.

crème fraîche En la tradición francesa la crème fraîche es crema sin pasteurizar espesada con una bacteria que está naturalmente presente en la crema. Sin embargo, es más común que se espese agregándole una bacteria, la cual le proporciona una consistencia suave y untable y un sabor ácido y ligeramente parecido al de la nuez.

curry en polvo El curry en polvo es un producto convencional usado por los cocineros hindúes para simplificar la tarea diaria de mezclar especias. Es una mezcla compleja de chiles, especias, semillas y hierbas molidas.

cuscús israelita Algunas veces llamado cuscús perla, el cuscús israelita es una pasta en forma de bolas pequeñas más grandes que el cuscús más común de textura muy regular del norte de África. Se vende en la mayoría de tiendas especializadas en alimentos del Medio Oriente y tiendas bien surtidas.

chiles Cuando compre chiles frescos, busque chiles rollizos, firmes y sin imperfecciones.

chiles chipotle en salsa de adobo Los chiles chipotles son chiles jalapeños rojos maduros que se han puesto a secar y a ahumar. Para hacer chiles chipotles en adobo se remojan los chiles secos en una salsa de jitomate sazonada con vinagre. Se venden enlatados en la mayoría de los supermercados.

jalapeño Este chile verde, que mide aproximadamente 5 cm (2 in) de largo, varía de picante a muy picante y es uno de los chiles más populares en los Estados Unidos.

poblano De color verde oscuro y con base ancha y cuerpo afilado, un chile poblano mide cerca de 13 cm (5 in) de largo. Es ligeramente picante y tiene un sabor natural a verdura. Cuando los chiles poblanos se secan se conocen como chiles anchos.

chili en polvo Esta mezcla de especia combina chiles secos, comino, orégano, ajo y otras especias. A menudo se usa en la cocina de América del Sur pero nunca se usa en la auténtica comida mexicana. No se confunda con el auténtico chile en polvo molido, el cual está hecho simplemente de brotes de chile seco molido hasta obtener un polvo fino.

edamame Frijol de soya verde, a menudo conocidos por su nombre japonés de edamame. Se vende congelado en su vaina o desvainado.

endibia belga Un miembro de la familia de la achicoria, la endibia belga se cultiva usando un método sumamente laborioso que hace que las raíces broten en un medio ambiente oscuro. Como resultado surge una raíz cónica muy plegada de color blanco cremoso por la falta de clorofila y con un ligero toque amarillo verdoso en las orillas y puntas. La endibia belga tiene un agradable sabor amargo y se puede usar en platillos crudos o cocidos.

escarola Las fuertes y ligeramente curvas hojas de este miembro de la familia de la achicoria son ligeramente amargas pero no dejan de ser agradables al paladar. Las hojas duras de la escarola son deliciosas crudas pero también se pueden comer ligeramente cocidas o con aderezos tibios.

filetes de anchoas en aceite Estos pequeños peces plateados, cultivados en aguas de todo el mundo, son populares en el Mediterráneo. Los filetes de anchoa conservados en aceite se venden en latas o frascos.

frisée También llamada endibia rizada, este miembro de la familia de la achicoria es de color amarillo verdoso con hojas tipo encaje muy sueltas y un sabor agradablemente amargo. En su mejor temporada durante los meses fríos, por lo general, se mezcla en pequeñas cantidades con otras hortalizas suaves para proporcionar un contraste de color, sabor y textura.

garbanzos También conocidos como frijoles de garbanzo o frijoles ceci, estas ricas leguminosas con sabor a nuez son de color beige, forma redonda y tienen una textura firme.

habas verdes También conocidas como frijoles anchos, estas leguminosas de primavera tienen un sabor natural y ligeramente amargo. La porción comestible debe retirarse de la gran vaina exterior y después a cada haba se le debe retirar su piel dura.

haricots verts También conocidos como ejotes verdes franceses, los haricots verts son ejotes delgados muy usados en Francia. Tienen una textura más suave y un sabor más delicado que los ejotes verdes regulares.

hierbas de canónigo También conocidas como lechuga de borrego, ensalada del campo o ensalada de grano, las hierbas de canónigo hacen una ensalada verde con textura suave y sabor ligeramente anuezado. Las pequeñas hojas de color verde oscuro son muy delicadas y tienden a marchitarse con facilidad por lo que es mejor usarlas uno o dos días después de haberlas comprado. Búsquelas en tiendas de abarrotes bien surtidas.

jengibre cristalizado Algunas veces llamado jengibre caramelizado, el jengibre cristalizado está hecho al cocinar el jengibre en una miel de azúcar y después cubrir con cristales gruesos de azúcar. Por lo general, se vende en rebanadas delgadas.

jícama Un tubérculo redondo con un suave y dulce sabor y un textura muy crujiente, esta verdura se puede comer cruda o cocida. Antes de usarla se le debe retirar la piel de color beige dorado para dejar expuesta su pulpa blanca. Elija una jícama de piel delgada que se sienta pesada para su tamaño.

lechugas La gran variedad de lechugas disponibles en las tiendas de abarrotes y mercados de granjeros permite que se pueda usar una variedad diferente en la ensaladera cada día del año.

lechuga mantequilla Algunas veces llamada lechuga Boston, la cabeza de lechuga mantequilla tiene hojas sueltas de color verde claro y ligeramente rizadas. Su textura es tierna y su sabor es suave.

lechuga de hoja verde Las cabezas de esta hortaliza para todo tipo de ensalada están formadas por hojas grandes, rizadas y sueltas. Su textura es tierna y su sabor es muy suave y delicado.

lechuga de hoja roja Esta lechuga comparte las cualidades de la lechuga de hoja verde pero las orillas de las hojas y puntas son de color rojo oscuro.

lechuga orejona La lechuga orejona crece en cabezas con hojas largas, duras y crujientes que tienen toques de sabor dulce. Mantiene su cuerpo con aderezos y guarniciones fuertes.

lemongrass Esta hierba, con un sabor fresco a limón pero sin su gusto abrasivo, parece una cebollita de cambray con hojas de color verde grisáceo claro. El suave corazón de su interior contiene la mayor parte de su sabor. El lemongrass es un sazonador común en la cocina del sur de Asia.

limón meyer Considerado como una cruza entre el limón regular y la mandarina, los limones meyer tienen una piel delgada que al madurar toma un color amarillo-naranja muy oscuro. Su aromático jugo y pulpa son más dulces y menos ácidos que los de los limones regulares.

material no reactivo Las sartenes de aluminio o de hierro forjado sin cobertura pueden provocar reacción en los alimentos ácidos, como es el jugo de cítricos, vinagre o vino, proporcionándoles un sabor metálico y un color desagradable. Ante la menor duda, cocine en ollas y sartenes de acero inoxidable, aluminio anodizado o hierro esmaltado y prepare las mezclas de ingredientes ácidos en tazones de acero inoxidable, vidrio o cerámica.

melaza de granada roja Esta miel espesa, agridulce y de color rojo oscuro es el jugo de la granada roja que se ha reducido convirtiéndose en un fuerte concentrado. Se vende embotellada en las tiendas de productos del Medio Oriente y en supermercados bien surtidos.

mesclun o mezcla de hortalizas tiernas De la palabra provenzal para "mezcla", este potpurrí colorido para ensalada contiene diferentes variedades de hortalizas jóvenes y suaves a menudo incluyendo arúgula, endibia, lechuga espinaca y achicoria (radicchio). La mezcla de hortalizas tiernas a menudo se vende en bolsas y algunas veces a granel.

mostazas Un popular condimento con un sabor atrevido y ácido, la mostaza no sólo agrega sabor a los aderezos para ensalada, sino que también sirve para mantener una vinagreta o aderezo emulsificado o bien integrado, disminuyendo la velocidad en que se separan el aceite y el vinagre (u otro líquido).

de grano entero Este tipo de ensalada tiene una apariencia rústica e inmaculada y una textura gruesa debido a que está hecha con semillas de mostaza enteras y no molidas.

dijon Tan tersa como la seda y fuerte y apimentada, esta mostaza proviene de Dijon, Francia. Se hace con semillas de mostaza cafés y negras y vino blanco.

nueces Las nueces agregan textura, suntuosidad y color a las ensaladas. Para cocinar con nueces busque nueces sin sal para que pueda controlar la cantidad de sazonadores que incluye el platillo. Si almacena las nueces en un recipiente hermético en el congelador o refrigerador ayudará a mantenerlas frescas.

almendras La carne que se encuentra dentro de la semilla de una fruta de la familia de los duraznos, la almendra, es suavemente dulce y aromática y tiene una textura agradablemente crujiente.

almendras marcona Estas almendras planas y redondas son una especialidad española. Por lo general, se venden fritas o asadas lo cual resalta un dulce y rico sabor tostado

cacahuates En realidad un tipo de legumbre, los cacahuates son semillas que crecen alargadas en vainas enervadas suaves. Cuando se asan, su sabor se hace más completo y tostado y su textura es firme y ligeramente almidonada.

nueces de Castilla Un miembro de la familia de las nueces pecanas, las nueces de Castilla tienen una textura amantequillada. Su sabor es rico y con un toque agradablemente amargo.

nueces de la India Estas nueces tersas con forma de riñón provienen de un árbol nativo de África e India, siempre se venden sin su cáscara dura. Tienen un sabor dulce y amantequillado.

nueces pecanas Un producto nativo de Norte América, las nueces pecanas tienen dos lóbulos con muchos surcos dentro de una cáscara tersa y oval de color café. Las nueces pecanas son dulces, tienen un sabor a caramelo, jarabe de mantequilla y ligeros toques ahumados.

piñones Las semillas del árbol de pino, los piñones, tienen cáscaras delgadas de color café oscuro y crecen dentro de los conos de los pinos. La mayoría de ellos se venden sin cáscara. Proporcionan una textura rica y suave y un sabor boscoso y resinoso.

pistaches Los pistaches son granos de color verde claro cubiertos por una cáscara dura de color café y son ampliamente usados en las cocinas del Mediterráneo, Medio Oriente e India. Su sabor anuezado es bastante delicado. Se venden con cáscara o sin ella; para cocinar busque la segunda opción y evite comprar pistaches de color rojo brillante que han sido pintados con pintura vegetal.

oporto El auténtico oporto, un dulce y fortificado vino con sabor concentrado y dulce, proviene de Portugal. Hay diferentes variedades pero el oporto ruby es de buena calidad y es el de precio más accesible, convirtiéndolo en la mejor opción para cocinar.

orzo La palabra italiana para "cebada", esta pasta con apariencia de granos grandes y planos de arroz es particularmente adecuada para usarse en sopas y ensaladas.

pancetta La pancetta es un tocino italiano sin ahumar. Se obtiene salando y condimentando la carne de puerco con pimienta negra y otras especias antes de enrollarlo en forma de cilindro y dejándolo curar. Proporciona un sabor a carne a las sopas, estofados, salsas para pasta, ensaladas y platillos de todo tipo.

panko Estas migas de pan japonés tienen una textura gruesa pero muy ligera y elegante. Busque el panko en tiendas de abarrotes bien surtidas o en tiendas especializadas en alimentos asiáticos.

páprika dulce ahumada española Una especialidad de España, la páprika ahumada se hace con chiles rojos ahumados y molidos. Tiene un sabor muy natural, ahumado y casi carnoso y su color es rojo oscuro. La páprika ahumada se puede adquirir en diferentes variedades: dulce, agridulce y picante.

pasta harissa Esta pasta hecha de especias picantes se usa en el norte de África como sazonador o condimento. Se hace con chiles, especias, ajo y aceite de oliva y se vende en tubos, latas o frascos. Búsquela en las tiendas de abarrotes bien surtidas y en las tiendas especializadas en productos del Medio Oriente.

peperoncini Estos chiles ligeramente picantes de color amarillo verdoso en salmuera se venden en frascos. Sin embargo, en Italia los peperoncini son chiles rojos y la palabra se usa para referirse a las diferentes presentaciones: frescos, secos y en salmuera.

pepino inglés Los delgados pepinos ingleses de color verde oscuro, también llamados pepinos de invernadero o pepinos hidropónicos, son de piel delgada y tienen menos semillas que los pepinos regulares. Se venden frecuentemente envueltos en plástico adherente junto a los pepinos comunes.

peras asiáticas Innumerables variedades de esta fruta son muy populares en China, Japón y Corea. Parecen una cruza entre manzanas y peras tradicionales y varían mucho de color y tamaño, pero todas las peras asiáticas tienen una textura jugosa, crujiente y ligeramente granulosa.

pimientos del piquillo Los pimientos del *piquillo* son una especialidad del norte de España y son muy populares en los platillos de la cocina vasca. Se cosechan a mano, se asan a fuego directo y se les retira la piel antes de envasarlos en agua o en aceite dentro de frascos o latas.

pomelo La fruta cítrica más grande, el pomelo, es nativo del sureste de Asia. Parece una toronja pero no tiene la cualidad amarga de la toronja. La cáscara gruesa y esponjosa del pomelo cubre una pulpa que va del amarillo claro al rosa y puede ser sumamente jugosa o muy seca con un sabor dulce pero ácido.

prosciutto El prosciutto auténticamente italiano, hecho en la región de Emilia-Romagna y llamado prosciutto di Parma, está hecho de la parte posterior de una pierna de puerco. Es sazonando, curado con sal y puesto a secar al aire libre. Añejado aproximadamente entre 10 meses y 2 años, el prosciutto di Parma es considerado el mejor de todos los prosciuttos y su producción es vigilada por un consorcio regulador.

quesos Los quesos proporcionan un sabor y una textura única a muchos platillos, incluyendo a las ensaladas. Para asegurar su frescura, cómprelos en una tienda especializada en quesos.

azul Los quesos azules han sido tratados con moho y han formado venas o bolsas azules de moho que proporcionan al queso su fuerte sabor picante. Varían en textura de secos y grumosos a suaves y cremosos.

bocconcini De la palabra italiana que significa "bocado pequeño", los bocconcini son pequeñas bolas de queso mozzarella fresco. Se venden empacados en suero en los supermercados bien surtidos y tiendas especializadas en quesos.

feta Un queso blanco y desmenuzable hecho de leche de cabra o de vaca y curado en salmuera, el queso feta es un queso griego tradicional aunque hoy en día se hace en muchos otros países incluyendo a los Estados Unidos y Francia. Tiene un agradable sabor ácido y salado.

fresco de cabra También llamado chèvre, este queso blanco puro está hecho de leche de cabra y tiene una textura suave y un agradable sabor ácido y ligeramente salado. No use queso de cabra añejo en una receta que pide el fresco.

gouda Este queso de leche de vaca proviene de Holanda. El queso gouda joven tiene una textura semifirme y un sabor suave, pero cuando se añeja se vuelve seco y duro y su sabor toma un agradable sabor delicado, completo y fuerte a nuez con toques de caramelo.

gruyère El gruyère es un queso suizo firme y con sabor a nuez hecho de leche de vaca cuyo nombre proviene de la región en la cual se originó. También se produce en Francia donde se le conoce como Gruyère de Comté o simplemente Comté. Ambas clases se derriten suavemente.

Jack seco Este queso de California está hecho de leche de vaca. El queso es curado, frotado con aceite, cocoa y pimienta y añejado hasta por 10 meses, proporcionándole así el característico color oscuro a su corteza. El sabor del queso Jack seco es rico y anuezado y tiene una textura seca que lo convierte en un queso adecuado para rallar.

parmigiano-reggiano El auténtico queso parmesano está hecho de leche de vaca al norte de Italia de acuerdo a normas estrictas. También existen otras versiones hechas en otros países pero ninguno puede igualar el sabor rico, anuezado y complejo del parmigiano-reggiano.

pecorino romano Un queso italiano hecho de leche de oveja, el queso pecorino romano tiene un sabor fuerte, salado y apimentado. Su textura firme y granulosa es buena para rallar.

provolone Un queso italiano semifirme hecho de leche de vaca, el queso provolone tiene una textura tersa y densa. El provolone joven tiene un sabor suave y cremoso; el provolone añejo es más seco y tiene un sabor más fuerte.

ricotta salata Una variación del queso ricotta, el ricotta salata tiene una textura firme y seca y un sabor salado y lácteo. Se puede desmoronar o rallar sobre platillos.

quinoa Un alimento básico para los antiguos incas del Perú, este grano altamente nutritivo parece una semilla de ajonjolí de forma esférica. Cuando se cocina, la quinoa tiene un sabor suave y ligero y una textura ligera y esponjosa. Se debe enjuagar perfectamente antes de cocinar ya que el grano tiene un residuo natural que proporciona un sabor muy amargo.

radicchio Una achicoria de hoja roja, el radicchio, tiene un sabor amargo y una textura suave pero firme. La radicchio di Verona y la radicchio di Treviso son las dos variedades comunes; la primera tiene forma de globo y la última es delgada y afilada como la endibia belga.

salsa hoisin Una espesa salsa café, dulce y salada, la salsa hoisin se usa como ingrediente y como condimento en la cocina china. Se hace con frijol de soya, ajo, vinagre, chiles y otras especias sazonadas.

salsa de pescado asiática Hecha de pescado salado y fermentado, la salsa de pescado es un líquido delgado y transparente cuyo color varía desde el ámbar hasta el café oscuro. Los orientales la utilizan de la misma forma que nosotros utilizamos la sal, tanto para condimentar un platillo como para usarla en la mesa.

salsa sriracha Esta salsa de color rojo anaranjado brillante es una mezcla de chiles molidos, jitomates, vinagre, ajo, sal y azúcar. Originaria de la parte sur de Tailandia, esta salsa ideal para todo uso se agrega en poca cantidad para sazonar una gran variedad de platillos cocinados. También se usa como un condimento de mesa para muchos platillos asiáticos.

semillas de calabaza sin cáscara También llamadas pepitas, las semillas de calabaza sin cáscara son de color verde y tienen un sabor vegetal y ligeramente anuezado.

tamari reducido en sodio La salsa de soya regular está hecha de frijoles de soya fermentados y trigo. El tamari es un tipo de salsa de soya hecha sin la adición de trigo. Tiene cuerpo completo y un intenso sabor. El tamari reducido en sodio permite al cocinero controlar mejor la cantidad de sal que agrega al platillo en el que se usa.

trigo bulgur El bulgur de sabor anuezado resulta al cocer al vapor el trigo, retirando parcialmente el salvado y secando y triturando los granos. Se vende en molido fino, medio y grueso y tiene un sabor suave y una textura

firme que lo convierten en un buen portador para los sabores de otros ingredientes. Búsquelo en tiendas de abarrotes bien surtidas, tiendas de productos del Medio Oriente y tiendas especializadas en alimentos en donde algunas veces se vende a granel.

vinagres Cada tipo de vinagre tiene un sabor único y un carácter ácido lo cual lo hace particularmente adecuado para ciertos ensaladas y aderezos para ensaladas.

balsámico Una especialidad de la región italiana de Emilia-Romagna, el vinagre balsámico es un vinagre añejado hecho del jugo de uva sin fermentar, o mosto, de las uvas blancas Trebbiano. Almacenado y añejado en barricas de madera de diversos tamaños que van en disminución, cada una de diferente madera, el vinagre balsámico se hace más dulce y más suave con el tiempo.

de arroz sazonado Comúnmente usado en la cocina asiática, el vinagre de arroz de color claro, sabor suave y ligeramente dulce, está hecho con arroz glutinoso que ha sido previamente fermentado. Puede ser simple o sazonado con azúcar y sal. Éste está etiquetado como vinagre de arroz sazonado.

de champaña El vinagre de vino blanco, hecho con uvas de Champagne, es más ligero, suave y dulce que la mayoría de los vinagre de vino blanco.

de frambuesa Floral y dulce, este vinagre está hecho de vinagre de vino blanco sazonado y teñido por la adición de frambuesas.

de jerez De origen español, el vinagre de jerez auténtico está etiquetado como "vinagre de Jerez", tiene un sabor ligeramente anuezado y

dulce como resultado del añejamiento en barricas de roble.

de sidra Hecho de manzanas, el vinagre de sidra es notable por su distintivo sabor a manzana. Para obtener los mejores resultados, compre vinagre de sidra auténtico, no vinagre destilado con sabor a sidra.

de vino blanco De sabor ligero y color claro, este vinagre se puede producir de diferentes vinos blancos como el Chardonnay o el Sauvignon Blanc.

de vino tinto Sumamente ácido, el vinagre de vino tinto es el resultado de la fermentación del vino tinto por segunda vez.

vinagreta Una vinagreta es una mezcla sencilla de aceite, vinagre y sazonadores. Por lo general, se usa como aderezo de ensalada pero también se puede usar como marinada o salsa para carne, pollo, pescados o mariscos.

índice

Importado, editado y publicado
por primera vez en México en 2009 por
/ Imported, edited and published in Mexico in 2009 by:
Degustis, un sello editorial de / an imprint of:
Advanced Marketing S. de R. L. de C.V.
Calzada San Francisco Cuautlalpan 102 bodega D,
colonia San Francisco Cuautlalpan, Naucalpan de Juárez,
Estado de México, C.P. 53569
Título original/ Original title: New Flavors for Salads
/ Nuevos sabores para Ensaladas

Primera impresión en 2009
Fabricado e impreso el 29 de abril de 2009 en Singapur por
/Manufactured and printed on April 29th, 2009 in Singapore by;
Tien Wah Press, 4 Pandan Crescent , Singapore 128475
10 9 8 7 6 5 4 3 2 1
ISBN: 978-607-404-061-6

WILLIAMS-SONOMA, INC.
Fundador y Vice-presidente **Chuck Williams**

SERIE NUEVOS SABORES WILLIAMS-SONOMA
Ideado y producido por Weldon Owen Inc.
415 Jackson Street, Suite 200, San Francisco, CA 94111
Teléfono: 415 291 0100 Fax: 415 291 8841
En colaboración con Williams-Sonoma, Inc.
3250 Van Ness Avenue, San Francisco, CA 94109

UNA PRODUCCIÓN DE WELDON OWEN

WELDON OWEN INC.
Presidente Ejecutivo, Grupo Weldon Owen **John Owen**
CEO y Presidente, Weldon Owen Inc. **Terry Newell**
VP Senior, Ventas Internacionales **Stuart Laurence**
VP, Ventas y Desarrollo de Nuevos Proyectos **Amy Kaneko**
Director de Finanzas **Mark Perrigo**

VP y Editor **Hannah Rahill**
Editor Ejecutivo **Jennifer Newens**
Editor Senior **Dawn Yanagihara**

VP y Director de Creatividad **Gaye Allen**
Director de arte **Kara Church**
Diseñador Senior **Ashley Martinez**
Diseñador **Stephanie Tang**
Director de Fotografía **Meghan Hildebrand**

Director de Producción **Chris Hemesath**
Administrador de Producción **Michelle Duggan**
Director de Color **Teri Bell**

Fotografía **Kate Sears**
Estilista de Alimentos **Karen Shinto**
Estilista de Props **Danielle Fisher**
Traducción **Laura Cordera L. y Concepción O. de Jourdain**

Fotografías Adicionales Getty Images: Frank Rothe, páginas 14-15; Dan
Goldberg: páginas 18, 119; Tucker + Hossler: 23, 25, 29, 38, 45, 62, 65, 69, 77,
98, 103, 109, 120, 125, 129, 134, 149; Jupiter Images: Tara Sgroi, páginas 27,
84; Photodisc: páginas 52-53; Shutterstock: Cheryl A. Meyer, página 59;
agefotostock; 78-79; IStockphoto: John Sigler, páginas 110-111; Jupiter
Images: Victoria Pearson, página 117.

RECONOCIMIENTOS
Weldon Owen agradece a las siguientes personas por su generosa ayuda:
Asistentes de Fotografía **Victoria Wall y Sam Willard**; Asistente de Estilista
de Alimentos **Fanny Pan and Alexis Machado**; Editor de copias **Sharon Silva**;
Correctora de Estilo **Leslie Evans**; Índice **Elizabeth Parson**.

UNA NOTA SOBRE PESOS Y MEDIDAS
Todas las recetas incluyen medidas acostumbradas en Estados Unidos y medidas del sistema métrico. Las conversiones
métricas se basan en normas desarrolladas para estos libros y han sido aproximadas. El peso real puede variar.